Alice Moon

Amor de sangre

PROMESA OSCURA

Libros /de
seda

Promesa oscura. Libro 2 de la serie *Amor de sangre*

Título original: *Dunkles Versprechen. Blood Romance 2*

© Alice Moon
© de la traducción: Carmen Villa Menéndez

© de esta edición: Libros de Seda, S.L.
Paseo de Gracia 118, principal
08008 Barcelona
www.librosdeseda.com
info@librosdeseda.com

Diseño de cubierta y maquetación: Pepa y Pepe Diseño
Imágenes de la cubierta: Loewe, Depositphotos, Thinkstock

Primera edición: noviembre de 2013

Depósito legal: B. 13.292-2013
ISBN: 978-84-15854-10-4

Impreso en España — Printed in Spain

Pero a veces,
cuando todo nos parece perdido,
llega la señal que puede salvarnos...

Marcel Proust

Capítulo 1

Dustin corría. En la oscuridad, el bosque parecía transformarse ante él en un túnel de tétricas líneas, irreal y vertiginoso. Todo se fundía a su alrededor en una espantosa amalgama negra, a través de la que intentaba abrirse paso con todas sus fuerzas. El aire estaba helado y la tierra bajo sus pies, húmeda y blanda. Dustin jadeaba, le costaba respirar. Las ramas de los árboles y arbustos tiraban de sus ropas y cabellos cual largos dedos huesudos. Era como si el Canyon Forest tratara de contenerlo con violencia. «No eres bienvenido, da la vuelta», parecía gritarle. Y el bosque tenía razón: de hecho, Dustin debía abandonar Rapids lo antes posible. No podía quedarse, no ahora con la aparición de un cadáver, una víctima humana. Pero lo impulsaba el deseo de ver el horror con sus propios ojos. Algo temido desde hacía días, y que le fue imposible evitar.

Ya un par de horas antes, al descubrir el lobo muerto entre la maleza le invadió un mal presentimiento. Sintió la llegada del miedo... y de la muerte. El viento lo alertó del terrible suceso antes de que se convirtiera en una certeza.

Anna había sido asesinada. Aún resonaban en su cabeza los agudos chillidos de Elizabeth —o May, como se llamaba ahora— convencida como estaba de que él era el responsable.

Dustin siguió avanzando con dificultad. De pronto se detuvo y aguzó el oído... Un griterío furioso retumbaba en su dirección. Debía de estar ya muy cerca del lugar del crimen. Aflojó la marcha, avanzando a hurtadillas y tratando de mantener su respiración pausada y uniforme. Un poco más allá centelleaban focos azulados, como de linternas. Dustin miró a su alrededor y descubrió un sendero trillado, con matas aplastadas e innumerables pisadas. Cuanto más avanzaba por él, más claridad lo envolvía. Esa fría luz confería a la vegetación un aspecto fantasmal y temible. Dustin llegó a un pequeño claro y permaneció de pie junto a un árbol. Las linternas de varios policías de uniforme lo deslumbraban impidiéndole ver lo que, sin duda, se hallaba en el suelo ante ellos. Alrededor, a cierta distancia, esperaban varios jóvenes con rostros pálidos y consternados. A un par de ellos los conocía de vista. Probablemente habían salido a buscar a Anna al advertir su ausencia en la fiesta de la residencia. Entre ellos se encontraba Carol. Estaba en el suelo, de cuclillas, con los brazos rodeándole el cuerpo y la mirada fija.

Dustin olía la muerte. Estaba en el aire, pesada, sofocante y definitiva. A sus oídos llegaban retazos dispersos de frases:

—¿Qué se le habría perdido a estas horas por aquí?

—... se trataría de una cita con algún muchacho...

—... graves mordeduras... perdió mucha sangre...

—... debió de sufrir el ataque de un animal salvaje.

—... no tuvo ninguna oportunidad... ya no pudo defenderse...

Un joven agente sostenía a una mujer menuda y de aspecto frágil. Le hablaba con suavidad e insistencia, pero ella no reaccionaba. Parecía no percibir nada a su alrededor, y tan solo miraba al vacío con apatía. Seguro que era una pariente. Dustin sintió cómo crecía dentro de él una desagradable sensación. Se reprochaba su mal comportamiento con Anna. Aunque no le hubiera prometido nada, al detectar desde el principio su interés por él... lo había aprovechado. Con Anna a su lado intentaba mantener a Sarah a distancia. Era muy probable que Anna lo siguiera al bosque después del plantón en la fiesta. Y debía de haber muerto por eso. Dustin notaba cómo se apoderaba de él un frío terrible. Los policías hablaban de pérdida de sangre y graves mordeduras. Pero un animal no era el responsable del ataque; Anna era la víctima de una criatura mucho peor: una bestia vengativa, sanguinaria, que sentía placer torturando y matando a seres vivos de forma espeluznante. No cabía duda, ELLA había estado aquí.

—Emilia —susurró Dustin.

Como si de una confirmación se tratase, al pronunciar su nombre tras haber evitado hacerlo durante décadas, recibió en pleno rostro una ráfaga de viento helado.

En ese instante dos de los hombres uniformados se apartaron. La escena que apareció ante él le cortó la respiración: el largo cabello pelirrojo de Anna colgaba en toscos mechones sobre su maltratado cuerpo. Sus ropas aparecían destrozadas por afiladas garras, hundidas en su carne a juzgar por las profundas heridas que tenía. Debajo de ella, el suelo estaba teñido de rojo. En el rostro, vuelto hacia él, Dustin pudo ver sus ojos, que lo miraban desorbitados por el pánico.

—Lo siento tanto, Anna —murmuró con voz ahogada—. Yo no quería esto… No quería que pasase algo así, yo…

De repente, un movimiento atrajo la atención de Dustin. De entre el grupo de jóvenes alguien se volvió con lentitud mirándolo con fijeza. Llevaba un largo abrigo oscuro. La mitad de su rostro desaparecía bajo una capucha, pero a la luz de una linterna brillaron durante un segundo unos ojos verdes. Una afilada sonrisa se insinuó en unos labios brillantes y rojos como la sangre; un mechón cobrizo ondeó al viento como una llama.

Dustin salió corriendo de la sombra y se precipitó hacia el desconocido, pero este se volvió, rápido como un rayo, y desapareció en silencio, como una sombra, entre la espesura. En ese mismo momento Dustin sintió un horrible mareo que le impidió seguir corriendo. Se tambaleó y se sujetó la cabeza. Sentía el cuerpo pesado, como paralizado, y las piernas ya no le obedecían. No se movió hasta que uno de los policías lo miró.

—¿Qué haces aquí, muchacho? —le increpó mientras caminaba hacia él. Tenía la cara roja y angulosa—. No hay nada que ver. Anda, vete. ¿O tienes algo que contarnos? ¿Estabas aquí cuando encontraron a la muchacha? —El hombre miró a Dustin con los ojos entrecerrados.

Dustin negó con un gesto.

—Pues entonces desaparece. Y si es posible vete a pasear por otro lado a estas horas. O mejor, deberías estar en casa y en la cama. No sé qué pasa con vosotros los jóvenes —El policía se alejó meneando la cabeza.

Dustin estaba petrificado y miraba en la dirección tomada por el encapuchado para desvanecerse. Hacía tiempo que ELLA no se mostraba, aunque él hubiera sentido su presencia a menudo. Un odio creciente y una cólera irrefrenable se añadieron a su deseo de ver sufrir a esa horrible bestia. Era absolutamente necesario que sintiera en su propia carne todo el sufrimiento infligido a tantísimos otros. Cerró los puños.

—Un día pagarás por todo esto —dejó escapar con los dientes apretados—. Lo juro por mi eternidad... Llegará el momento, ¿me oyes? El momento llegará... —Dustin había levantado la voz sin darse cuenta. Una mirada severa del policía que lo observaba desde lejos le hizo callar y darse media vuelta. Pero tras tan solo un par de pasos Dustin se volvió a detener. Tenía la sensación de que los ojos muertos y desorbitados del cadáver de Anna lo traspasaban por detrás. Dustin sintió un escalofrío, y al mismo tiempo le atravesó la mente otra imagen terrible: Sarah... De repente la vio tendida en lugar de Anna, con sus dulces y avellanados ojos fijos, sin vida y su menudo cuerpo cubierto de sangre. Dustin sintió cómo le invadía una oleada de pánico. Como si tuviera que asegurarse de que la muchacha muerta en el suelo del bosque no se había transformado en Sarah, se volvió una vez más... y vio otros ojos conocidos.

Jonathan, inmóvil, miraba fijamente a Dustin, sin pestañear siquiera. ¿De dónde salía tan de repente? Dustin no lo había visto antes por ninguna parte. La expresión de Jonathan resultaba inescrutable. ¿Mostraba reproche? ¿Dolor? ¿Rabia? ¿Odio? Dustin no sabría decirlo. Dio un paso hacia él, quería abrir la boca y preguntarle por lo sucedido, por la persona que descubrió el cuerpo de Anna. Pero antes de que pudiera articular una sola palabra, Jonathan se movió con un breve gesto de rechazo y se apartó. Con la cabeza baja, se acercó a Carol, sentándose a su lado y rodeándole los hombros con el brazo para consolarla. Dustin tragó saliva. Jonathan era testigo de cuánto tiempo había pasado últimamente con Anna. Ojalá no pensase que... No, no tenía nada contra él. No sabía nada sobre él, era imposible que le creyese capaz de cometer un crimen tan terrible. No obstante, la peculiar expresión de Jonathan le producía una desagradable sensación. Era como si él...

—Pero ¿sigues por aquí? Lárgate de una vez. ¡Ahora mismo! —le espetó el agente de la cara roja—.

Como podrás observar, ya tenemos suficientes problemas.

Dustin se dio media vuelta y se marchó. Los pensamientos giraban descontrolados en su cabeza. No obstante, algo tenía claro: la muerte de Anna causaría mucha agitación y debía prestar atención si no quería acabar en el centro de ese alboroto. Debía hacerse invisible, no podía volver a la residencia. Al menos mientras la policía estuviera tan segura de que la muerte de Anna se debía al ataque de un animal.

El sol brilla. Extraño... ¿quién lo ha permitido? Un par de ancianas conversan más allá, en la parada. Una se queja de que el autobús vuelve a retrasarse.

—¡Qué fastidio! —dice—. Ahora volveré a llegar tarde a mi noche de bingo.

Dos muchachos juegan al baloncesto a la puerta de una casa. Gritan y se ríen. Se ríen...

Todo es tan normal, tan natural.

Esta naturalidad es brutal. Resulta tan ruidosa, tan llamativa y forzada, que ya no me parece auténtica. Alguien ha encendido el sol y le ha hecho una señal a la mujer sobre cuándo y sobre qué debe quejarse. Después, los dos jóvenes tenían que reírse.

Esta naturalidad es tan falsa. Alguien la está dirigiendo. Intentan hacerme creer que la vida sigue y que todo volverá a la normalidad. También sin él, también sin papá. Pero yo sé que no es verdad, que no puede serlo. Y tampoco debería.

—Despierta, Sarah, ya es la hora.

La muchacha se sobresaltó y entornó los ojos. Su madre estaba sentada en su cama y le acariciaba la mano.

—¿Estás bien? ¿Te he asustado?

Sarah se levantó y agitó la cabeza, atontada. Necesitaba un momento para espabilarse. Su madre aún no sabía nada sobre los sueños que la asaltaban por las noches. Sueños sobre la muerte de su padre. Sabía que si se lo explicaba, solo serviría para preocuparla y, al final, existía el riesgo de que acabase en la consulta de un psicólogo. Tenía que arreglárselas sola.

En los últimos tiempos la frecuencia de las pesadillas era bastante menor. Desde el día en que conoció a Dustin y acabó enamorándose de él. Pero Dustin ya no estaba, y aquellos sueños habían vuelto. Hacía justo una semana que no sabía nada de él, desde aquella noche de viernes durante la cual se encontró el cadáver destrozado de Anna en el Canyon Forest.

15

Las innumerables gestiones realizadas por Sarah para encontrarlo resultaron infructuosas; las visitas diarias a la residencia, las insistentes preguntas a Jonathan, la espera ansiosa por si recibía alguna señal, algún mensaje... pero nada. Dustin había desaparecido sin dejar huella y, en lo más profundo de su ser, Sarah temía que quizá no volvería nunca, ya que se sumergió ante sus propios ojos en la oscuridad que acabó engulléndolo. Por un momento, Sarah fue consciente de ese gran desasosiego interior que venía acompañándola sin cesar desde hacía varios días.

—¿Tenías una pesadilla, cariño?

—No —murmuró Sarah y se esforzó por sonreír—. Creo... creo que tan solo estoy algo nerviosa por el entierro de Anna.

Laura Eastwood asintió.

—Ya, lo puedo entender —Después añadió, preocupada— ¿De verdad estás segura de que quieres ir? Quiero decir, en los últimos meses has tenido ya suficientes cosas que asimilar.

Sarah tardó en responder.

—Sí —dijo después—, tengo que ir. Incluso han cancelado las clases de nuestro curso. No puedo hacer como si me hubieran dado un día de fiesta así, sin más.

—Como quieras, cariño. Pero en cualquier caso desayuna algo antes de irte, por favor.

—No te preocupes, mamá. Voy bien de tiempo. Nadie llegará al cementerio antes de las dos, a excepción de los familiares.

—¡Ah!, si lo hubiera sabido no te habría despertado tan pronto. Y a propósito ¿qué tal está May? ¿Irá también?

Sarah apartó la manta.

—No, aún no le han dado el alta en el hospital. Pensaba visitarla más tarde.

En secreto, Sarah envidiaba a May por no poder ir al entierro de Anna. De hecho ella seguía debatiendo consigo misma si debería hacerlo o no. Tenía un miedo terrible a que la asaltasen de nuevo sus propios recuerdos. Que sus enormes esfuerzos por desterrar de su memoria el día en que enterraron a su padre hubieran resultado inútiles. Lo peor de aquel día fue el hecho de que la vida a su alrededor hubiera seguido con normalidad, como si no hubiera pasado nada. Sarah acabó enfadándose con todo y con todos. Con el gorjeo de los pájaros por la mañana, con los basureros malhablados, con el aire que respiraba. Con todo.

Aunque su última conclusión fue que sus recuerdos la perseguirían alcanzándola siempre que quisieran. Poco importaba que asistiera o no al funeral de Anna. Y si no lo hacía, se lo reprocharía de por vida.

Al salir de la ducha, Sarah oyó que sonaba su teléfono móvil. Estaba aún en el bolsillo de sus *jeans,* olvidados en el borde de la bañera el día anterior, antes de acostarse. Lo sacó. En la pantalla aparecía «Jonathan». Sarah vaciló un momento, después pulsó la tecla del auricular verde.

—Hola, ¿Jonathan?

—Hola, Sarah. ¿Te molesto? ¿Te he despertado?

—No, no, justo salía de la ducha.

Sarah se mordió los labios. ¿Por qué le había dicho eso? Era igual que contarle que estaba desnuda. Como si la pudiera ver en ese momento, se envolvió con dificultad con una toalla y, nerviosa, se pasó la mano por el cabello. Jonathan se aclaró la garganta y Sarah pudo contemplar su involuntario rubor en el espejo.

—Solo quería preguntar si quieres que te recoja más tarde —dijo Jonathan—. Me imagino que no te apetecerá mucho ir sola al cementerio. Seguro que no te resulta fácil... y bueno, yo tengo que pasar por delante de tu casa de todos modos, así que ni siquiera es un rodeo. Pero solo si quieres...

Sarah no pudo evitar una sonrisa. Tras su conversación en la fiesta de la residencia, Jonathan se esforzaba muchísimo por no resultar demasiado insistente cuando le ofrecía su ayuda o quería hacerle un favor. Realmente, era un encanto. Nunca antes había visto al muchacho de la eterna sonrisa tan torpe y tímido. Sobre todo desde lo sucedido con Anna le parecía que había cambiado por completo. En cierto modo, se le veía más serio y encerrado en sí mismo.

—Gracias, es muy amable de tu parte, Jonathan —contestó Sarah y sintió cómo se le quitaba un enorme peso de encima. Con él, el mal rato resultaría al menos un poco más fácil.

—Bien, pues paso a recogerte sobre la una y media, ¿de acuerdo?

—Sí, de acuerdo, ¡hasta luego!

—... Y así la recordaremos para siempre en nuestros corazones, porque con su presencia enriqueció nuestras vidas...

Sarah dejó vagar la mirada por el follaje de tonos dorados de los arces que rodeaban el cementerio. Trataba de distraerse para que no le llegasen las palabras del oficiante. No quería oírlas. No otra vez. Sonaban memorizadas, arbitrarias e intercambiables. Los ojos de Sarah deambularon por el resto de asistentes. Le sorprendía que hubiera venido tan poca gente, pues había dado por hecho que la familia de Anna sería famosa en la ciudad y que ella se sentiría perdida entre la multitud. Pero aparte del sacerdote, los sepultureros y algunos alumnos y profesores del Canyon High, solo estaban presentes otras dos personas: un anciano con oscuras ojeras en torno a unos ojos pequeños y húmedos, que se apoyaba tembloroso en su bastón, y una mujer de aspecto frágil, espalda menuda y profundas arrugas de preocupación en su pálido rostro. Sarah calculó que tendría unos cuarenta y tantos, pero casi con seguridad era más joven de lo que aparentaba. Lucía un sencillo vestido de algodón oscuro, demasiado fino para aquel día de octubre, soleado pero muy frío, y sobre él un chaleco negro de punto. Su cabello color ceniza, que le llegaba a la altura de la barbilla, estaba veteado por mechones rojizos, que permitían adivinar su tono original.

—Esos son la madre de Anna y su abuelo —le susurró Carol a Sarah con la voz entrecortada por las lágrimas. Sarah miró a su compañera con sorpresa. ¿Esa era la madre de Anna? Aunque Sarah no tenía una idea concreta de ella, había asumido que la madre de la muchacha presentaría una apariencia deslumbrante... como su hija.

Cuando el sencillo ataúd fue bajado a las profundidades de la tumba, Sarah cerró los ojos. Intentaba no imaginarse a Anna como un cadáver torturado hasta el extremo de quedar irreconocible, sino como la chica a la que había conocido. Pero por mucho que lo inten-

taba, los rasgos de su compañera de clase se desdibuja-
ban en su mente. Solo su ondulante cabello pelirrojo y
sus ojos maquillados de verde, que la miraban inexpresivos, se le aparecían una y otra vez como a retazos. Sarah sentía rabia contra sí misma y al tiempo se avergonzaba de que su recuerdo de Anna fuera tan superficial y
limitado a tan pocas características. Aunque nunca hubieran sido demasiado amigas, al fin y al cabo asistieron
al mismo curso durante más de un año, viéndose prácticamente a diario. Sarah abrió los ojos y miró a Carol,
que estaba pálida y con la vista fija en la tumba.

A Sarah el entierro de Anna le pareció una pesadilla,
de una irrealidad obstinada y opresiva. Nadie, aparte
del oficiante, se ofreció a pronunciar unas palabras o a
rezar una oración, y una vez recibida la lenta bendición
del párroco, la pequeña congregación se disolvió al instante y la mayoría de sus componentes, como recelosos
seres de las sombras debido a sus ropas oscuras, habían
desaparecido con gran rapidez y en silencio. Solo con-
tadas personas se acercaron a la madre y al abuelo de
Anna para darles el pésame. Carol le dio a ella un fuerte
abrazo y la menuda mujer se le aferró como si estuviera a punto de ahogarse en el agua. Sarah no sabía qué
debía hacer, pues, no conocía de nada a la familia de
Anna. Justo cuando se estaba decidiendo a avanzar

unos pasos hacia ellos, ambos se dieron la vuelta y se alejaron con parsimonia.

—Ya está bien así —le dijo Jonathan al oído y en voz baja—. Sabrán apreciar de todos modos que estuviéramos aquí —Acarició la espalda de Sarah con suavidad—. Creo que es más importante que de ahora en adelante cuidemos un poco a Carol. A fin de cuentas, Anna era su mejor amiga —añadió.

Sarah asintió. Jonathan tenía razón. No podían hacer nada por la familia de Anna, pero al menos sí podían estar ahí para Carol.

Carol se acercó a Sarah y a Jonathan y los tres permanecieron callados durante un rato. Los sepultureros ya empezaban a cubrir de tierra la fosa, con rostros inexpresivos. Sarah se sobresaltó cuando la primera palada chocó contra la madera con un ruido sordo. Sonó lúgubre y definitivo.

«Estos hombres no tienen más remedio que soportar semejantes golpes cada día», pensó. «Se ganan la vida con la muerte.» Sarah se estremeció y se volvió hacia Carol.

—Carol —comenzó—, si quieres hablar o sencillamente te apetece compañía, avísame. —No se le ocurría qué otra cosa decir. Sus palabras le parecían inútiles y vacías, tanto como las del sacerdote. Miró a Jonathan en busca de ayuda.

—Sí —murmuró él al fin—, por supuesto, eso vale también para mí. Vamos, quiero decir, si necesitas ayuda en lo que sea...

—Gracias —dijo Carol con voz débil—. Sé... sé lo que debéis de pensar. Sobre Anna, me refiero... —añadió secándose las lágrimas, en un intento de reflexionar acerca de cómo seguir. Sus pequeños ojos hinchados deambulaban entre Sarah y Jonathan—. Anna era... era encantadora. Y muy buena. Aunque quizás a la mayoría les pareciera un poco superficial. Yo... —Carol agitó la cabeza, como si tuviera que forzarse para seguir. Sarah le acarició la espalda temblorosa.

—Anna no quería que nadie averiguara lo que pasaba realmente en su familia —prosiguió Carol—. Su padre es un periodista bastante conocido como corresponsal en el extranjero y está siempre fuera. En un momento dado abandonó a su mujer y a su hija para irse con otra, así, de la noche a la mañana. Anna tenía apenas doce años. Idealizaba a su padre, hubiera hecho cualquier cosa por él. Pero él cortó el contacto casi por completo; y lo único que hacía por ella era regalarle un viaje largo y caro una vez al año, pero nunca la acompañaba. En algún momento, Anna empezó a construirse un caparazón. Sencillamente hizo como si todo siguiera como antes, a pesar de que su madre y ella tuvieron que renunciar a la casa donde vivían y mudarse a un pequeño apartamento en las afueras. Después de eso Anna nunca volvió a invitar a nadie a su casa, y celebraba sus cumpleaños en restaurantes elegantes. Su madre aceptó todos los trabajos que pudo para salir a flote, y Anna se sacaba un poco de dinero a escondidas durante las vacaciones, para poder comprarse sus trapitos. Creo que para sus adentros hacía a su madre responsable de la marcha de su padre. Y seguro que también a sí misma —Carol respiró hondo—. Su padre está ahora mismo de viaje por algún lugar de Filipinas. —Rió con amargura y agitó la cabeza—. Ni siquiera ha venido al entierro de su propia hija.

Sarah miraba a Carol horrorizada por completo. No se hubiera imaginado ni remotamente que la vida de Anna fuera así. Se había dejado engañar —era posible que como todos los demás— por la falacia de Anna, tomando a la guapa pelirroja por una niña mimada y superficial. Sin embargo era ella la que con su comportamiento superficial y distante nunca había llegado a interesarse en serio por Anna. Desde el principio era como si la hubiera metido en un cajón. Y sus imprecisos prejuicios parecieron confirmarse cuando Anna intentó seducir a Dustin. Dustin... Al pensar en él y en su último encuentro, Sarah sintió una punzada en el corazón. Pasaron tantísimas cosas aquella tarde de hacía justo una semana... demasiadas. Y los espeluznantes gritos que Sarah oyó mientras seguía los pasos de Dustin camino del bosque todavía resonaban en su cabeza. Ahora sabía quién era la persona que gritaba de esa manera, y al pensar en ello se le hizo un nudo en la garganta. Anna. Anna había gritado por su vida.

Capítulo 2

Pronto te encontrarás sediento de sangre,
la necesitarás para vivir.
El lobo y el corzo ofrecen alimento,
pero el deseo de sangre humana trae tormento.
Solo cuando el amor es verdadero,
cuando un corazón está listo para dar,
la victoria sobre el tiempo lograrás
y la maldición de la eternidad romperás...

Dustin se despertó sobresaltado en su guarida. Debía de haberse quedado dormido, aunque era de día. Pero ¿qué importaba ya que hubiera amanecido? A él le era indiferente que luciera o no el sol. De todos modos, durante la última semana solo había abandonado la pequeña cabaña cuando ya era noche cerrada Las sienes le latían, se las frotó. Las frases aparecidas en sus sueños seguían danzando ante él con trazos de un rojo sangriento... atrayentes y amenazantes a la vez. A pesar de los muchos años que habían pasado, las tenía tan presentes como aquella noche en que sostuvo la vieja hoja de papel amarillento con manos temblorosas, y la leyó por primera vez, lleno de sorpresa y fascinación. Aquella maldita noche en la que todo empezó... Dustin notó cómo las oscuras sombras de su pasado volvían a acecharlo en silencio, estaban a punto de alcanzarlo. Resultaba extraño... cuanto más tiempo pasaba desde aquel momento, con más vehemencia lo asaltaban sus recuerdos. Era como si se alimentasen de las numerosas horas, meses y años y fueran así ganando en intensidad.

Dustin se levantó y, congelado, se puso sobre los hombros la manta de lana comprada un par de días atrás en una pequeña gasolinera situada en el margen del bosque. Después abrió la edición de tarde del periódico del día anterior para distraerse de sus funestos pensamientos. Los titulares más importantes, leídos por encima al comprarlo, lo habían tranquilizado, al menos por el momento. Tras serle practicada la autopsia, se certificó que la muerte de Anna fue debida a un trágico accidente. De hecho, el hallazgo de la policía, que encontró al lobo escuálido y herido cerca del cadáver, solucionaba la cuestión, al hacerlo responsable de las mordeduras de la garganta de Anna. Ese mismo día se iba a celebrar su entierro.

«De momento no hay ningún motivo para que cunda el pánico, pero aun así se recomienda a los paseantes que utilicen los caminos oficiales del bosque», Dustin leyó una vez más la cita del portavoz de la policía. «No se puede descartar por completo que en el futuro y en áreas extensas y muy frondosas, como el Canyon Forest, se produzcan ataques de animales...»

Junto al artículo aparecía la foto de una señal de peligro. «Las autoridades no se hacen responsables de lo que pueda suceder si se abandonan los caminos señalizados», figuraba con letra clara sobre el fondo amarillo. Dustin soltó una carcajada amarga. Estos carteles debían instalarse a intervalos regulares a la vera de los caminos, como medida de seguridad. Sin embargo, como mucho, conseguirían una cosa: la motivarían aún más para hacer de las suyas, si ELLA todavía andaba cerca.

Dustin volvió a dejarse caer de espaldas sobre su incómodo catre de tablas de madera. La pequeña cabaña abandonada que le servía de escondite se hallaba cerca de la vieja cantera que lindaba con el Canyon Forest. Tenía pensado pasar también allí los siguientes días, ya que seguía sin confiar del todo en aquella paz. Aunque era cierto que ELLA permanecía tranquila desde la muerte de Anna, no podía saber si aún seguiría cometiendo excesos en el Canyon Forest y su momentánea discreción no era más que una advertencia oculta de un nuevo acto terrorífico. La calma antes de la tormenta... Su experiencia de esos años le decía que sus actos no obedecían a ningún tipo de patrón: era la arbitrariedad personificada. Los momentos de más peligro habían sido aquellos en los que Dustin empezaba a sentirse más confiado respecto a ella y a albergar la esperanza de que quizá hubiera interrumpido su diabólico propósito: el plan urdido cien años atrás, que consistía en acecharlo a él y a sus seres queridos por toda la eternidad. Durante esos períodos se había vuelto descuidado y crédulo, dejándole a ella espacio suficiente para restablecerse y sorprenderlo saliendo de la nada de repente.

Ahora Dustin estaría a la espera y preparado para cualquier cosa. Y cuando supiera algo más sobre su paradero, la retaría finalmente a un combate. Demasiado tiempo huyendo, alimentando la vaga esperanza de que en algún momento se hartase de perseguirlo. Ya no podía más. Quería que todo esto acabase, aunque significase su derrota. Tenía que intentarlo o de lo contrario tarde o temprano ocurrirían más desgracias. De repente se le volvían a aparecer las horribles imágenes del cadáver de Anna. Ni siquiera creía que ELLA fuera capaz de tanta crueldad.

Se asomó a la pequeña ventana sucia, la única de la cabaña.

—Sarah, me alegro tanto de que no te haya pasado nada... —susurró, y se sorprendió agradeciendo en secreto a un poder superior que hubiera sido Anna la víctima propiciatoria. Y no Sarah.

Cuando Sarah atravesó el pasillo de la residencia hacia la habitación de May, sintió un extraño hormigueo en el estómago. Estaba casi tan nerviosa como antes de un examen de física.

Presentía que May lo había pasado mal, y lo que le había contado hacía un rato la enfermera del City Hospital confirmaba esa sospecha. Sarah había ido a visitar a May al hospital tras el entierro de Anna, pero le habían dado el alta un poco antes. «Tiene que cuidarse y no debe alterarse», fueron las palabras de la enfermera, «pero una visita agradable seguro que no le hace ningún mal. Incluso necesita que la animen.» Después, pensativa, había añadido: «A esa muchacha le pesa alguna cosa. Pobrecilla... ni siquiera sus padres han venido a ocuparse de ella».

Sarah debía proceder con cautela con su amiga, aunque tuviera mil preguntas quemándole por dentro y siguiera indignada por la irrupción de May, cuando entró precipitadamente en la habitación de Dustin para, con una expresión de odio en el rostro, acusarlo de haber asesinado a la muchacha. A continuación, cuando acababa de salir, se había desplomado sin fuerzas. Sarah, que iba detrás de ella, solo había gritado, incapaz de hacer nada más. Por suerte la llegada al momento de un par de personas para ayudarla y una llamada hecha por alguien al médico de urgencias resultaron providenciales. Trasladaron a May al hospital y desde entonces no se había permitido ninguna visita. Necesitaba reposo absoluto.

Sarah vaciló un momento cuando llegó a la puerta de May. ¿Era en realidad una buena idea visitarla ya? Por otro lado, seguro que May esperaba que ella se interesara por su estado de salud. Hizo un esfuerzo y golpeó la puerta con los nudillos.

—¿May? ¿May, estás ahí? —Sarah acercó la oreja a la madera para escuchar. Al fin se acercaron unos pasos suaves. May abrió y la miró con ojos cansados, agotada. Sarah se sobresaltó. Su amiga estaba pálida, con aspecto agotado y sus mechones rubios le colgaban sin brillo y despeinados sobre la cara. El pijama azul claro y descolorido que llevaba se bamboleaba en torno a su delgada figura y le confería un aspecto aún más frágil y demacrado.

«Como si solo existiera a medias», pensó Sarah.

—Hola, Sarah, entra. —La voz de May era débil y un poco ronca. Sarah vio que le daban escalofríos, aunque la calefacción estaba al máximo.

May se volvió a tumbar en la cama de inmediato y se arropó con la manta hasta la barbilla, mientras Sarah se quitaba el abrigo y se sentaba en una de las sillas. De forma automática buscó el collar de cuero negro con el colgante rojo que había visto suspendido en el respaldo un par de días antes, pero no lo encontró por ninguna parte. En cambio, su mirada se posó en una foto colocada cabeza abajo sobre la mesita de noche junto a su cama. Los dos libros entre los que estaba metido el retrato de May con ese muchacho estaban separados. Al verlo a él Sarah recordó a otro al que había conocido en su antiguo vecindario, en Chicago, y que también había sido asesinado hacía un año. Sus heridas eran similares a las de Anna. Simon.

Sarah notó cómo su corazón se agitaba, como siempre que se sentía impotente ante una situación. Quedaban tantas cosas no habladas entre May y ella... Y ambas tenían claro que no podían obviar sin más la noche de la semana anterior para hablar sobre chismes insignificantes del instituto. Habían pasado demasiadas cosas y lo sucedido se interponía entre ellas como un abismo insalvable. Sarah observaba a May mientras se arropaba en la manta y parecía perdida en sus pensamientos. Intuía desde hacía mucho tiempo que la muchacha guardaba un secreto que no quería revelar bajo ninguna circunstancia. Normalmente, Sarah comprendía a las personas que no estaban hablando siempre de todo y de todos; pues tampoco ella se abría cuando se trataba de su propio pasado. Pero ahora no lograba librarse de la sensación de que la historia de su amiga era también decisiva para ella misma. Quizás al conocer a Dustin se había convertido sin quererlo en una parte del secreto de May. Cerró los ojos. No sería fácil encontrar las palabras adecuadas para conseguir que May se confiase a ella. Y aunque lo lograse, quizá la verdad fuera aún más difícil de soportar.

«¿Y si May tiene razón en sus acusaciones?», se preguntaba. «¿Y si se descubre que Dustin es realmente un asesino sin escrúpulos y solo me ha hechizado con su increíble historia para impedirme ver la realidad?»

A pesar del calor reinante en la habitación, Sarah sintió que la recorría un escalofrío acompañando este último pensamiento. Se acordó de los oscuros ojos de Dustin, sintió sus suaves labios sobre los de ella, recordó su aroma cálido y amargo de tierra y bosque y cuán protegida se había sentido entre sus brazos.

«No», pensó. «No, aún no está perdido, aún no es una bestia sanguinaria. Y no cambiaré de opinión hasta que alguien me convenza de lo contrario. Y mientras no haya pruebas concluyentes, puedo conservar la esperanza de que alguna vez Dustin encuentre el amor verdadero que lo libere. Incluso si yo no soy ese amor, quiero al menos regalarle esa valiosa esperanza. Me gustaría que pudiera volver a creer en sí mismo. Y también para eso necesito a May. Ella es la única que me puede ayudar. Sabe cosas importantes. Importantes para mí, para Dustin... para nosotros.»

Cuando abrió los ojos, Sarah se encontró con la mirada escrutadora de May. Debía de haberla estado observando todo el tiempo. Se sintió descubierta y se aclaró la garganta, avergonzada.

—¿Seguro que ya estás bien como para arreglártelas sola? —dijo, intentando dotar a sus palabras de la mayor naturalidad posible—. Sigues estando bastante pálida. ¿Tienes hambre? ¿Te traigo algo para comer?

May negó con la cabeza.

—No, gracias, ya he comido. Voy recuperando el apetito poco a poco —Bajó la mirada—. He... he oído que hoy se ha celebrado el entierro de Anna.

Sarah asintió.

—Sí, precisamente vengo de allí. El funeral ha sido... bastante irreal. Tan anónimo, tan poco espectacular... —Después añadió con una sonrisa—: Estoy segura de que a Anna no le hubiera gustado en absoluto.

May asintió y sonrió también.

—Sí, no me extrañaría.

Durante un momento ambas muchachas guardaron silencio, pensativas.

—¿Y cómo van las investigaciones? —preguntó May de repente, sin rodeos—. ¿Hay alguna pista sobre el asesino? Sarah alzó de golpe la mirada.

—No hay ningún asesino —contestó cortante. Después respiró hondo. Debía dominarse para no reaccionar con demasiado enfado a las provocadoras preguntas de May y evitar otra pelea—. Encontraron un lobo muerto cerca de su cadáver —continuó con calma—. Es casi seguro que ya estuviera herido y por eso actuó de forma tan agresiva, atacando a Anna hasta matarla. Así pues, su muerte fue un accidente —ahora era Sarah quien clavaba la mirada en May—. En todo caso, Dustin no ha tenido nada que ver, si es a eso a lo que te refieres.

May meneó la cabeza, para reír después con desdén.

—Anna, atacada por un animal —repitió—. ¡Pero si está traído por los pelos! Es fácil que se trate solo de una forma de tranquilizar a la población. Típico de ciudad provinciana... lo principal es que parezca un mundo perfecto. «No tenga miedo, aquí en Rapids está usted seguro...» —May se interrumpió por un ataque de tos. Un poco más suave y con voz ahogada añadió, una vez recuperada la calma—: Seguro que, en realidad, existen paralelismos con los asesinatos en Chicago...

—No, eso no es posible —la interrumpió Sarah, sintiendo cómo empezaba a temblar por la tensión—. En el cadáver del lobo se encontraron restos de la sangre de Anna. Así que la causa de la muerte estaba clara —Sarah notó la inseguridad en su voz. Ella misma se sorprendía en su fuero interno de que el caso se hubiera cerrado tan rápidamente y de que apenas apareciera mencionado en los medios. Pero también se había sentido aliviada porque, excepto a los alumnos que encontraron a Anna, no se había interrogado a nadie. Al parecer, tampoco nadie se había enterado de que Dustin y ella misma estaban muy cerca del lugar del crimen cuando este se produjo. Era probable que solo una persona lo hubiera notado y les hubiera seguido: Anna. ¿Por qué si no estaría sola en el bosque? La debía de haber impulsado la curiosidad, o los celos... Sarah no pudo evitar volver a pensar en aquellos horribles gritos. ¿Debería haber hablado de ello con la policía? ¿Tendría que haber mencionado su presencia y la de Dustin en el bosque? Y, de haberlo hecho, ¿se habrían desarrollado las investigaciones de otra forma? Estas preguntas le rondaban por la cabeza desde hacía ya una semana, y eran el motivo de su constante malestar.

—May —Sarah volvió a empezar y se esforzó por sonar lo más comedida posible—, sé qué es lo que le reprochas a Dustin. —Vaciló un momento antes de pronunciar la siguiente frase—: Él ya ha matado a una muchacha... a su novia, Clara.

May alzó la cabeza de golpe y Sarah pudo ver el horror y la sorpresa reflejados en sus ojos. Sin duda no había contado con esta declaración.

—Te preguntas cómo me he enterado, ¿no es cierto? —continuó Sarah, pero sin esperar ninguna respuesta—. El propio Dustin me lo confesó. Y también me explicó por qué lo hizo. Quería ahorrarle la maldición de la eternidad. Conozco su secreto, May. Me lo confió.

Poco a poco, May recuperó el habla.

—Así que Dustin te contó quién es —dijo con suavidad y miró a Sarah fijamente a los ojos—. Sabes que debe alimentarse de sangre. Sabes que ya ha matado a un ser humano... ¿y aun así lo defiendes? —May agitó la cabeza con incredulidad—. Sarah, estás completamente cegada por su increíble historia. Te has enamorado de él por su aspecto misterioso e inaccesible —May alcanzó un vaso de agua de su mesita y tomó un trago—. Pero aunque no lo quieras aceptar —continuó—, Dustin es peligroso, también para ti. Quizá crees que él nunca te haría nada porque tuvisteis un par de momentos de cercanía, pero Dustin no es un muchacho normal, Sarah. Su comportamiento no es previsible, ni siquiera para sí mismo. Es su instinto el que lo guía. Si necesita sangre, la conseguirá, da igual de quién.

Sarah abrió la boca para replicar algo, quería defender a Dustin, pero no le salió nada. Las palabras de May la habían dejado muda. ¿Cómo sabía May tantas cosas sobre Dustin? ¿Cuándo se conocieron?

Las preguntas revoloteaban en la mente de Sarah, como si una bandada de oscuros pájaros asustados la persiguieran amenazándola con sus afilados picos y eso le impedía pensar con claridad.

—Sarah, alégrate de estar aún con vida —continuó May—. Si no hubiera sido Anna la víctima de Dustin, probablemente tú no estarías aquí sentada.

Sarah sintió cómo el pánico la inundaba. Alzó la mirada y la clavó en los ojos de May.

—¡No, May, eso no es cierto! —contestó negando con la cabeza— Dustin nunca me hubiera hecho daño, ¡nunca!

May rió con amargura.

—Te ha cautivado, como ya lo ha hecho otras veces, así de sencillo. Estás obsesionada por completo con él, de lo contrario no lo habrías seguido desde la fiesta de la residencia hacia el bosque en medio de la oscuridad, ¿verdad? —May volvió a toser y se acercó el vaso.

Sarah miró a su amiga, sorprendida. Su corazón golpeaba con fuerza contra su pecho.

—¿Cómo sabes eso? —dijo entre dientes.

May le devolvió la mirada.

—No lo sabía —dijo—. Hasta ahora.

Sarah se enfadó sobremanera. Por culpa de su falta de atención le había revelado a May la presencia de Dustin en el bosque la noche de la muerte de Anna. Y la suya junto a él. La ira y la desesperación se apoderaron de su ánimo.

—May, ni siquiera sabíamos que Anna estaba allí cerca —trató de explicarse—. ¿Cómo íbamos a saberlo? ¿A qué había ido allí, sola? Pero sí sé que él no le hizo nada, porque estuvimos juntos todo el tiempo.

—Sin darse cuenta, Sarah hablaba en voz cada vez más alta.

—¿De verdad? ¿Todo el tiempo? —preguntó May con desconfianza.

Sarah apartó la mirada. Una vez más retumbaban en sus oídos los gritos de Anna. Presionó las manos contra su cabeza, quería librarse a toda costa de ese chillido pero no conseguía sino que cada vez fuera más fuerte. Penetrante, gutural, desesperado. Sarah cerró los ojos y, de repente, volvió a ver las imágenes de la última semana. Con absoluta claridad...

Sarah, quédate aquí y no hagas ruido —susurra Dustin—. No te muevas ni un milímetro, ¿me has entendido?

Estoy paralizada de miedo, solo puedo asentir.

Dustin desaparece en silencio en la oscuridad del bosque y yo me acuclillo en el suelo. Tengo miedo, un miedo horrible que me inmoviliza... Espero, no sé cuánto tiempo pasa, pero después vuelve al fin y me siento aliviada. Me toma de la mano y abandonamos el lugar. Vamos a su habitación. Me siento feliz, olvido el escalofriante momento en el bosque. No quiero pensar en nada cruel, solo en el aquí y el ahora. Y en nosotros... Por fin, por fin puedo estar cerca de él...

—*Dustin, estás... ¡estás sangrando! ¿estás herido?* —Me asusto. *Su jersey gris claro está empapado de sangre*—. *¡Tienes que vendarte la herida!*

—*No, Sarah, esa sangre no es mía* —Dustin me suelta con suavidad—. *Las manchas de sangre vienen de otro sitio...*

—¿Sarah? Sarah, ¿qué pasa? —La voz de May sacó a Sarah de sus recuerdos y las imágenes se extinguieron de forma tan súbita como habían aparecido. Abrió los ojos despacio. Los gritos en su cabeza habían enmudecido, pero su corazón se encogió dolorosamente. ¿Y si a Dustin lo hubiera dominado un ansia interior, tal y como afirmaba May? ¿Podía haber encontrado a Anna herida, y a la vista y el olor de su sangre no hubiera sido capaz de contenerse, como no hacía mucho sucedió en la fiesta de Carol, cuando Anna se había cortado en el brazo? ¿Y si Dustin... era el asesino de Anna?

—¡Su ropa está manchada con su sangre! —entró vociferando May al precipitarse en la habitación de Dustin. Con sus ojos fijos en los de él había esperado de todo corazón que contestase algo tranquilizador. Pero él ni siquiera había intentado defender su inocencia.

Dustin caminaba nervioso de un lado a otro dentro de su escondite. Esa estrechez y la larga espera de todo el día, lo iban volviendo loco poco a poco. Durante un instante incluso se estuvo planteando ir al entierro de Anna —por supuesto, de incógnito— para averiguar algo sobre la situación actual.... y para ver a Sarah. Pero finalmente había decidido no hacerlo, sobre todo porque no quería encontrarse con May. Ahora mismo la creía capaz de todo. No pudo evitar revivir sus acusaciones.

—Primero, Clara, después Simon... y ahora, Anna. Y ella... —May se estaba refiriendo a Sarah y añadió—: ¿será ella la siguiente? ¡Acabaré contigo, Dustin!

Lo recorrió un estremecimiento al recordar la expresión de sus ojos. Tan llenos de asco. Sí, May sí que sabía lo que tenía que hacer para apartarlo de la circulación. Un par de días sin alimento, encerrado y sin posibilidad de fuga, y las fuerzas de Dustin se extinguirían hasta convertirse en una nada famélica y miserable, ni muerta ni viva... Era mejor mantenerse lejos de May hasta que llevase a cabo su plan y se enfrentase a ELLA. Debía obligarla a confesar, así May le creería cuando le dijese que no había tenido nada que ver con la terrible muerte de Anna, ni tampoco con... la otra cuestión.

Los pensamientos de Dustin volaron hasta Sarah. ¿Qué pensaría sobre el incidente? La mera idea de que pudiera dar crédito a las acusaciones de May y lo tomase por el asesino de Anna le provocó una punzada. Debía encontrar la manera de hacerle llegar la verdad, sin involucrarla más en el asunto para acabar, incluso, poniéndola en peligro. ELLA no debía enterarse nunca de la atracción existente entre ambos. Y, precisamente, eso era lo que quería explicarle Dustin a Sarah. Tenía que comprender el peligro que ELLA entrañaba, que no habría oportunidad alguna para su amor mientras ELLA tuviera la atención puesta en Dustin. Le debía esa explicación a Sarah, de lo contrario, no entendería por qué había desaparecido así, sin más. Al fin y al cabo, le había revelado su secreto unos minutos antes. No podía dejarla ahora planteándose preguntas, asustada y sin una palabra.

Dustin notó cómo poco a poco el aire de la pequeña cabaña se iba enrareciendo dificultándole la respiración. Abrió de un golpe la puerta y salió fuera. Si al menos pudiera hacer algo, si tuviera la más remota idea sobre el escondite de ELLA...

—¡Muéstrate de una vez, monstruo cobarde! —gritó en el atardecer—. Si realmente tienes tanta fuerza, ¿por qué no la utilizas en un combate honrado? ¿Temes quizás una derrota?

No hubo respuesta. Pero lo que Dustin vio de repente ante él lo dejó de piedra. Con eso no contaba. Y si en ese momento su corazón hubiera latido, se habría detenido a causa del miedo y la sorpresa.

Capítulo 3

May se había levantado y se había puesto una bata. Se acercó a Sarah y, vacilando, le puso una mano en la espalda.

—Me duele ver tu desesperación, Sarah —dijo suavemente—. Pero tienes que entenderme. No quiero herirte, sino evitar que persigas una idea equivocada y acabes hundiéndote en la desgracia.

Sarah calló. Se sentía tan cansada como si no hubiera dormido durante días. La discusión con May y su recuerdo de la noche de los hechos la habían derrotado.

—Todo ha ido mal desde el principio —prosiguió May y se sentó junto a Sarah—. No quería que tuvieras ningún tipo de contacto con la historia de Dustin. Temía por ti, quería protegerte. Solo por eso callé y traté de mantenerte lejos de él. Pero me temo que lo que he conseguido así es empeorarlo todo.

Sarah miraba a May a los ojos. No detectaba ni rastro de provocación en ellos, ni reproche, ni rechazo. Y, sin embargo, le pareció como si de repente se alzara un muro entre ellas. Tragó saliva. Al principio se habían entendido tan bien... ¿por qué no podía volver a ser como antes?

—Sé que tienes buenas intenciones —dijo finalmente Sarah, no sin cierta vacilación—. Pero May... eres poco transparente y hablas siempre con acertijos. Pensé que éramos amigas, pero me sigues ocultando algo fundamental. ¿Cómo es que sabías tantas cosas sobre Dustin?

May no contestó. Respiró hondo y desvió la mirada.

—Ojalá nada de esto hubiera ocurrido —dijo al fin—. Ojalá Dustin nunca hubiera aparecido por aquí. En el momento en que lo vi en el salón de actos supe que algo horrible pasaría. Como aquella vez en Chicago. —Los ojos de May adquirieron de pronto un aspecto vidrioso y su mirada se perdió a lo lejos. Sarah ya había visto a su amiga así de ensimismada un par de veces. Era como si en esos momentos contemplase algún lugar o tiempo diferente, un mundo al que solo ella tuviera acceso. ¿Qué le estaría pasando por la cabeza?

¿Adónde viajaba May en sus pensamientos? ¿Estaba con el muchacho de su foto? ¿Se acordaba de cuando había conocido a Dustin? La idea de que May y Dustin estuvieran unidos por algo que no la incluía le produjo una breve aunque dolorosa punzada en el corazón.

Tenía que haberle preguntado a él por su relación con May. Pero aquella noche le había contado demasiado, y se había olvidado por completo de May. Razón de más para que ahora necesitase respuestas a sus muchas preguntas.

—May —susurró Sarah para no asustar a su amiga al sacarla de su estado de ensoñación. May entornó los párpados, mientras su mirada iba cobrando claridad, como si tuviera que acostumbrarse primero a la realidad. Al fin, sus ojos dejaron de vagar por la estancia y se fijaron en Sarah con expresión interrogante.

A Sarah le pareció que, de pronto, May se mostraba más amable e indulgente. Quizá lograse averiguar algo más sobre su pasado con Dustin si lo planteaba con sumo cuidado. Ahora, su único deseo era encontrar alguna señal, algún pequeño punto de apoyo que la ayudase a comprender mejor a Dustin. Y si era sincera consigo misma, lo que más le importaba era recuperar la confianza en él. Quería que fuese inocente, que hubiera esperanza para él, y no solo lo deseaba por su bien, sino también por el de sí misma. Porque se había enamorado de él y lo echaba muchísimo de menos. Porque anhelaba siquiera una oportunidad, un hálito de ilusión que le susurrase: «Vuestro amor no es imposible».

Con cierto titubeo, Sarah volvió a abrir la boca. Esperaba hallar las palabras adecuadas para evitar que May se encerrase de nuevo en su caparazón.

—Tú misma has dicho que podría haber sido un error que intentase obstinadamente mantenerme lejos de Dustin. ¿Te acuerdas? —preguntó en voz baja.

May no contestó, sino que se quedó mirándola. Sarah se pasó la lengua por los labios resecos. Se esforzaba para que su voz sonase calmada y contenida.

—Creo que es verdad. Sencillamente, no entendía qué tenías en contra de que fuera amiga de Dustin. Y por eso cada vez te hablaba menos sobre mí y mis sentimientos. Pero si lo hubiera hecho, quizá no te habría resultado tan difícil hablarme más de ti. Quiero decir, más sobre ti y... Dustin. Tenéis un pasado común, ¿verdad?

Durante un instante, la expresión de May se oscureció. Sarah sospechó que su plan no iba bien.

—Y si así fuera —repuso May con voz apagada—, ¿qué te importa a ti ese pasado? ¿Qué crees que lograrás cuando descubras por lo que he tenido que pasar durante este tiempo? ¿Crees que eso cambiaría algo de los hechos y que Dustin sería inocente de repente? ¿Quieres un indicio de que él aún no está perdido? ¿Esperas ser tú, al final, su gran amor y salvación?

Sarah bajó la mirada consternada. May le había leído la mente y en consecuencia, estaba a la defensiva. Era evidente que no quería hablar con nadie sobre sí misma ni sobre su pasado. Pero la experiencia vivida, fuera cual fuese, había marcado su opinión sobre Dustin, de la que no se desviaba ni un milímetro. Para ella, era culpable. Pero no solo con respecto a Anna o Clara. Debía de haber decepcionado a May, o aún peor, haber destrozado su vida de algún modo. ¿Por qué, si no, lo iba a despreciar así?

Sarah observó la expresión amarga de May, sus labios apretados, su cuerpo delgado y tembloroso. De repente le inspiró una enorme compasión. Tenía que ser horrible estar tan sola con su propia historia y no hablar nunca de ella con nadie. En algún momento de su vida May se había construido una coraza y no lograba deshacerse de ella. Ocultaba su pasado y al mismo tiempo sufría por ello.

De pronto, a Sarah se le ocurrió una idea con la que quizá lograse que May se confiase a ella. Esta vez no tuvo que esforzarse en pensar cómo empezar. Las palabras le salieron casi solas:

—¿Sabes, May? Antes, en el entierro de Anna apenas había nadie, solo su madre, su abuelo y un par de alumnos y profesores del Canyon High —May la miró irritada. No parecía entender a dónde quería ir a parar.

—¿No fue nadie más de su familia? ¿Y qué hay de su padre? —preguntó al fin—. No paraba de hablar de él.

—Su padre abandonó a su familia hace unos años por otra mujer. Y desde entonces no se ha ocupado ni de su ex mujer ni de Anna. Está en Filipinas y ni siquiera ha enviado unas flores para su hija.

Los ojos de May se abrieron horrorizados.

—¿En serio?

Sarah asintió y comenzó a contarle lo que le había dicho Carol. Una vez hubo acabado, vio que May miraba al suelo, turbada.

—¿Quién lo sabía? —preguntó con voz queda.

—Solo Carol —respondió Sarah—. Al parecer, Anna no quería que nadie se enterase de cómo era su vida en realidad. En lugar de eso se inventó una historia ficticia, a su gusto, que no tenía nada que ver con cómo vivía. Y fingió tan bien, que todos se lo creyeron.

May y Sarah se miraron en silencio durante unos minutos. Al fin, May abrió la boca con la clara intención de decir algo, pero acabó dejando caer el mentón sin pronunciar palabra.

—Debe de ser agotador ocultar permanentemente el auténtico «yo» —continuó Sarah con precaución—. Y quizás algún día uno acaba por olvidarse incluso de quién fue una vez. Anna está muerta. Y ninguno de nosotros supo nunca cómo era de verdad. No podremos ya acordarnos de la auténtica Anna, porque para nosotros no existió. Tan solo contemplamos el rostro de una extraña.

Cuando Sarah calló, se dio cuenta de que May estaba llorando...

Dustin clavó los ojos, fascinado, en la delgada figura de mujer vestida con un largo abrigo oscuro, que estaba a cierta distancia entre dos árboles; erguida y con la cabeza alta. Su postura era inconfundible, orgullosa y elegante. Llevaba una capucha, pero esta se había deslizado un poco hacia atrás, de forma que la claridad blanquecina de la luna, aún oculta por una cortina de niebla, iluminaba su frente y su largo cabello pelirrojo. Dustin no sabía qué apariencia habría estado adoptando durante todos estos años. Pero, desde luego, esa, seguro que no.

«Sigue siendo preciosa», pensó Dustin, «como entonces... No ha perdido nada de su resplandor, pese a la crueldad con la que acosa a sus víctimas».

Sus ojos verdes relampagueaban frente a Dustin atrayendo su mirada como imanes incandescentes. No podía evitarlo, tenía que devolverle la mirada aun sabiendo que era un gran error. Cuando sus ojos se encontraron, Dustin recibió en los suyos una aguda y dolorosa punzada, como si los hubieran atravesado con una aguja. Sentía cómo su fuerza perversa lo penetraba y devoraba su interior para paralizar su cuerpo. Con lentitud, segundo a segundo, le iba robando la energía con sumo placer, lo chupaba desde dentro. Dustin notó cómo las piernas cedían, cómo ella daba un paso hacia él, y después otro. Quería apartar la vista, pero los ojos de ella no lo dejaban libre, lo retenían...

Se empezó a marear...

Ella se acercó aún más...

La niebla envolvió el cuerpo y la mente de Dustin...

Otro paso...

Sentía cómo se iba descomponiendo poco a poco...

Solo otro par de metros...

La última voluntad de Dustin, la de defenderse, estaba desapareciendo.

Ella le tendió la mano...

¡*Bummm!* Un ensordecedor estallido, fuerte como un tiro, resonó en la maleza. Ella volvió la cabeza rápidamente y en ese mismo momento Dustin salió despedido contra el muro de la cabaña de madera por una fuerza invisible. Tambaleándose, se levantó a duras penas justo a tiempo para ver cómo la figura se cubría el rostro con la capucha de un manotazo, se daba la vuelta y se adentraba en las sombras del bosque. Todo sucedió en un único movimiento rápido. Dustin sintió cómo de inmediato recobraba sus fuerzas y su cuerpo se recuperaba del aturdimiento. Se concentró en aguzar los sentidos y tensar los músculos, como hacía antes de cada persecución, aunque supiera que esta de ahora no era comparable a ninguna de las emprendidas hasta entonces. Y es que ni siquiera estaba aún decidido quién sería el cazador y quién la víctima.

May lloraba en silencio. Dejaba que las lágrimas se deslizasen por sus mejillas sin más, no se las limpiaba, parecía no sentirlas siquiera. Sarah guardaba silencio. No se atrevía a preguntarle lo que le pasaba, ni tampoco a tomar su mano para consolarla. Sarah sentía que May debía superar ese momento sola. El corazón le golpeaba con tanta fuerza que le parecía oír sus latidos en el silencio. Estaba incómoda. Es cierto que había albergado la esperanza de que la historia de Anna conmoviese a May, pero que hubiera estallado así, cuando de hecho aún debía cuidarse, asustó a Sarah.

De pronto le pareció como si una ráfaga de aire frío atravesase la habitación sobrecalentada. Tembló y se rodeó el cuerpo con los brazos. «Quizá sea mejor que me vaya», pensó, «antes de que altere aún más a May. Puede que haya sido suficiente por hoy. Necesita tranquilidad y yo puedo volver mañana...».

—En realidad me llamo Elizabeth...

Sarah miró a May sorprendida... Su amiga había dejado de llorar, pero sus ojos seguían brillando por las lágrimas derramadas. La frase que May había pronunciado de pronto flotaba en el aire, de una forma peculiar y llena de significado. Sarah apenas se atrevía a respirar, ni hablar ya de responder algo. Se limitó a quedarse sentada en silencio y a esperar. Pasaron los minutos. No oía nada más que el ritmo de su propio corazón.

Cuando May volvió a mover los labios y comenzó a hablar, a Sarah le pareció que abría un libro secreto para leer en voz alta el primer capítulo...

Era una preciosa mañana de julio, y Elizabeth bajaba saltando los peldaños de las pequeñas escaleras de piedra de Montebello, una fastuosa mansión de la Toscana situada en las montañas detrás de Florencia. Adoraba el verano y sobre todo estas primeras horas del día, en las que el campo estaba cubierto por una bruma inundada por la luz del sol y los viñedos emanaban un leve aroma estimulante, que en nada se parecía al olor pesado y sofocante de las calurosas tardes. Era su segundo verano aquí y ya hablaba el italiano casi tan bien como su lengua materna, el inglés. En principio había pensado viajar a casa durante las vacaciones para visitar a sus abuelos en Brighton, pero después, para su propia sorpresa, cambió de opinión y optó por quedarse. De repente había tenido la sensación de dejar pasar algo en Montebello, y eso a pesar de que al principio se opuso a un nuevo comienzo en Italia. Quería disfrutar de cada minuto libre del verano en los viñedos, deseaba ir a Florencia con su padre y visitar la ciudad mientras él acudía a sus compromisos. De golpe quería todo lo que habría podido tener desde hacía ya tiempo.

Era ya la quinta vez que Elizabeth abandonaba Inglaterra acompañando a sus padres para vivir en otro país durante un par de meses o incluso más. Su padre era un conocido asesor de empresas y ayudaba a las compañías a salir de la crisis. A su madre parecía agradarle viajar por todo el mundo como esposa de un hombre de negocios influyente y exitoso.

Solo Elizabeth lo pasaba fatal antes de cada traslado. Odiaba cambiar de escuela tan a menudo y ser siempre la nueva. Quería pertenecer de una vez a una pandilla estable, tener alguien a quien llamar su «mejor amiga» y sentirse en casa en alguna parte. Durante los primeros años intentaba sin cesar encontrar un vínculo, pero al final se había resignado. Esforzarse por hacer amigos no tenía ningún sentido. ¿De qué le servía, si poco después de conocerse debían despedirse otra vez? Elizabeth había aprendido a estar a menudo sola y a concentrarse en sí misma.

Su madre, que nada adoraba más que conocer a gente nueva, organizar fiestas e ingresar en cualquier tipo de clubes, no lo entendía en absoluto.

—Pronto cumplirás dieciséis años, Elizabeth —le había dicho recientemente enfatizando la palabra «dieciséis», como si se tratase de una grave enfermedad.

—Ya, ¿y bien?

—Pues que deberías hacer algo más que remolonear en casa cada noche, enterrarte en libros y ver la televisión. Así no conocerás a ningún muchacho. Ninguno vendrá a pulsar el timbre para sacarte de tu ratonera.

Elizabeth rió y dejó que las palabras de su madre le resbalaran. No le apetecía nada buscar como una obsesa un novio solo para vivir alguna estúpida experiencia que en el futuro desearía haberse ahorrado. Los únicos chicos que conocía se pasaban los fines de semana delante de la gasolinera, bien provistos de cerveza barata y estaban bastante lejos de su idea del hombre perfecto.

Elizabeth se acomodó en una tumbona junto a la piscina, con el periódico en una mano y un generoso café en la otra. Sus padres habían salido hacia Florencia el día anterior, invitados por un socio de negocios, y pasarían la noche en un hotel. Disfrutaba de tener para ella sola la preciosa mansión alquilada por su padre mientras durara su estancia en Italia.

Al principio Elizabeth se detenía con frecuencia ante una vieja foto amarillenta con marco de madera y contemplaba las caras de las personas fotografiadas. Trataba de imaginar cómo habrían vivido en Montebello en el pasado, cómo habrían sido y cómo habrían pasado su tiempo de ocio. En particular le fascinaba el joven con media melena oscura, que la había cautivado con sus ojos casi negros y su irónica sonrisa de oreja a oreja. Su expresión parecía casi fuera de lugar entre los demás rostros, reservados y de aire estricto. La foto de familia databa de 1891 pero, según la crónica de la ciudad, la mansión era mucho más antigua y había pertenecido a una familia de banqueros florentinos. Al parecer, en algún momento se interrumpió el linaje por falta de descendencia y el edificio pasó a ser propiedad de la ciudad, que lo había utilizado durante mucho tiempo como archivo. Hacía solo algunos años que se alquilaba.

El padre de Elizabeth retiró esa foto a las dos semanas de haber llegado, la guardó en el sótano y en su lugar colgó otra de la boda con su madre.

A veces pasaban por delante de Montebello caminantes que se detenían a admirar la enorme y lujosa mansión, ante cuya puerta llamaban la atención dos leones venecianos de piedra. No se cansaban de contemplar el extenso terreno, que casi parecía un parque, con sus esplendorosas flores, la fuente de piedra, el paseo de cipreses y el pequeño bosque de pinos colindante.

Elizabeth estaba hojeando el periódico perdida en sus pensamientos, así que no oyó los pasos que se acercaron haciendo crujir la grava del camino. Cuando el visitante estaba ya justo delante de ella, carraspeó levemente y Elizabeth se asustó tanto que se levantó de un salto de la tumbona y se echó la mitad del café por encima de los pantalones de lino.

—¡Oh!, perdona, no pretendía asustarte —dijo una juvenil voz masculina, y al instante siguiente su dueño le acercó un pañuelo. Cuando fue a tomarlo, pudo contemplar una cara sonriente en la que relucían unos ojos oscuros...

Capítulo 4

Llamaron a la puerta. Sarah y May se sobresaltaron. May miró a su alrededor confundida, como si no pudiera determinar de dónde venía ese ruido, tan fuera de lugar en medio de los viñedos de la Toscana y la calma matinal. Sarah necesitó también un momento para situarse y borrar las imágenes evocadas por las palabras de May.

—Espera aquí, ya abro yo —murmuró con voz ronca, se levantó y abrió la puerta.

—Ah, Sarah, qué bien que también tú estés aquí. Te iba a llamar de todos modos —dijo Jonathan en tono alegre. Después dirigió la vista tras ella, hacia May—. Hola, May, ¿qué tal estás?

Sarah le franqueó la entrada y notó cómo el rostro de May se iluminaba al verlo.

—Hola, Jonathan. Gracias por pasar a verme, es un detalle.

—Sí; llamé antes al City Hospital y me dijeron que te habían dado el alta hacía un par de horas. ¿Cómo no me avisaste? Te hubiera ido a recoger.

—No pasa nada, sabía que era el... el entierro de Anna, y pensé que con toda probabilidad estaríais allí. Llamé a un taxi —respondió May.

—Sí, Anna —dijo Jonathan con seriedad—, no hemos... aún no hemos tenido ocasión de hablar de ello... —Parecía buscar las palabras adecuadas. Se puso a caminar de un lado a otro en la habitación de May, pasándose la mano por el rubio cabello. Al hacerlo, sus deportivas iban dejando huellas de barro en la moqueta de color gris claro—. May, lo... lo siento de verdad. Puedo imaginarme lo mucho que te habrá afectado la muerte de Anna. Después de todo lo que has pasado... —Cuando vio la mirada severa de May, Jonathan se interrumpió y miró a Sarah de reojo. May enrojeció y apretó los labios.

—¡Oh!, pensé que... no sabía que...

—No pasa nada —lo interrumpió May con aspereza. Después añadió con más suavidad—: Estoy bien, no te preocupes.

62

Esforzándose por sonreír, Jonathan continuó:

—En cualquier caso, nos diste un buen susto cuando te desplomaste así, sin más. No lo vuelvas a hacer, ¿de acuerdo?

May no contestó una palabra y se quedó mirando al suelo. ¿Qué estaba pasando allí? Sarah alternaba la mirada entre uno y otra. ¿Sabía algo Jonathan sobre el pasado de May? ¿Sería cierto que sabía algo sobre sus penalidades? Recordaba claramente que May le había mencionado el año anterior que conocía a Jonathan de antes, pero Sarah nunca había tenido la impresión de que fueran demasiado amigos.

Tras un silencio general, Jonathan carraspeó.

—Bueno, pues entonces no os sigo molestando. May, ya sabes dónde encontrarme si necesitas algo. ¡Ah!, y Sarah...

—¿Sí?

—Si no te importa, pasa un momento por mi habitación antes de irte... Me gustaría hablar contigo.

Sarah lo miró, sorprendida...

—Bien, lo haré —respondió.

—Mi habitación está en la planta baja, justo debajo de esta —Jonathan dedicó una sonrisa a las muchachas antes de salir y cerrar la puerta tras él.

Sarah notó cómo se ponía nerviosa. ¿Qué era eso tan importante que tenía que decirle? ¿Sería que...? Su corazón dio un vuelco de esperanza. ¿Sabría Jonathan dónde andaba metido Dustin? ¿Habría hablado con él? Al fin y al cabo, ambos se llevaban bien y solo habían discutido cuando Dustin le había exigido a Jonathan que le quitase las manos de encima a Sarah. Al recordar aquel incidente, Sarah sonrió y experimentó un temblor de felicidad. De pronto ardía en deseos de hablar con Jonathan, y le hubiera encantado levantarse de un salto en ese mismo momento. Pero aún quedaban muchas cosas que le quería preguntar a May. Si interrumpían la conversación ahora, quizá May volviese a cerrarse.

La mente de Sarah volvió al relato de May. La había escuchado como si se tratase de una historia inventada. Se estaba dejando llevar hasta los viñedos de la Toscana, prácticamente veía a Elizabeth, la mansión y la foto de familia. Solo con la aparición del joven de ojos oscuros se había acordado de que lo que contaba de Elizabeth era su propia vida. Y en aquel momento era consciente de haber llegado al punto en el que Dustin y May se conocieron.

De pronto, a Sarah la asaltó una idea extraña: aunque May no le había contado con detalle cuándo conoció a Dustin, había mencionado que fue justo antes de que cumpliese los dieciséis. Sarah se estremeció y observó a su amiga que estaba de lado. No sabía cuántos años tenía

May exactamente, solo que su cumpleaños caía a finales de octubre. Pero May no podía ser mucho mayor que ella. Eso significaría que su relación con Dustin era bastante reciente. ¿Sería posible? ¿Concordaba con todo lo que Sarah sabía ya? Reflexionó. De hecho, en esa época Dustin debía de vivir en Chicago y estar con Clara. Pero quizás ese era precisamente el drama. Puede que Dustin tuviera una novia cuando conoció a May —o a Elizabeth— en Italia. Elizabeth... ¿por qué se habría cambiado de nombre? Sarah se dejó caer de nuevo en la silla suspirando y miró a May llena de expectación. No obstante, su amiga parecía haberse agotado de súbito. Tenía los ojos empequeñecidos y no hacía ademán alguno de querer continuar con su historia. Sarah tomó la palabra con cautela:

—¿May? —dijo con suavidad— ¿Era Dustin quien estaba frente a ti junto a la piscina? ¿Era él el muchacho de los ojos oscuros?

La mirada de May vagó con suma lentitud hacia Sarah.

—Sarah, lo siento, pero no puedo más —dijo con voz débil. Sarah le acercó el vaso de agua, del que May tomó un par de sorbos—. ¿Qué hora es?

Sarah miró su reloj.

—¡Oh!, son ya casi las ocho —dijo sorprendida. Durante el relato de May se había olvidado por completo de la hora—. Aunque se podría pensar que es ya noche cerrada —añadió Sarah echando un vistazo por la ventana. Fuera estaba ya oscuro como boca de lobo.

May esbozó una débil sonrisa.

—Sí, el joven de la piscina era Dustin —dijo de repente. Sarah escuchaba con atención. Tenía que enterarse como fuera de cómo seguía la historia.

—¿Y qué hacía Dustin en Italia? —se le escapó. Al momento se mordió los labios. Sabía que a May no se la podía presionar. Las preguntas bruscas podían asustarla. Pero May no parecía enfadada.

—¡Ay!, Sarah, la verdad es que no estoy segura de que sea muy buena idea contártelo todo —murmuró.

—May, lo que más me puede ayudar en este momento es la verdad —contestó Sarah con insistencia—. Aunque no cambie en nada las circunstancias... necesito claridad. Y también... para alejarme de Dustin, en caso de que no haya otra salida —añadió en voz baja—. Y para dar otra oportunidad a nuestra amistad.

May respiró hondo un par de veces, como si tuviera que luchar contra sí misma.

—De acuerdo —dijo al fin—, te contaré toda la historia. Pero no hoy, estoy exhausta. Vuelve mañana por la tarde, seguro que me encontraré mejor.

Sarah asintió.

—Bien —dijo, aunque presentía lo mucho que le costaría conciliar el sueño esa noche. Se imaginaría posibles continuaciones de la historia, se rompería la cabeza y al final era muy probable que no llegara a ninguna conclusión.

—¿Necesitas algo más? —preguntó Sarah mientras se levantaba de la silla. May negó con la cabeza.

—No, gracias, lo único que necesito es dormir —dijo.

Sarah tomó su abrigo y se dirigió a la puerta. Brindó una sonrisa a May como despedida.

—¿Sarah?

—¿Sí? —Sarah se volvió de nuevo.

—Esta historia... puede cambiar algunas cosas —dijo May—. Por favor, recuerda que te lo he advertido.

Al oír esas palabras, Sarah sintió cómo se apoderaba de ella una extraña sensación de angustia y su corazón comenzó a palpitar alterado. Sin embargo, tras una breve vacilación asintió y dejó sola a May. En el pasillo se apoyó agotada, de espaldas, sobre la fría pared y cerró los ojos. Pero ¿en qué lío se había metido? Durante unos instantes se limitó a disfrutar del silencio que la rodeaba. Pero entonces sus pensamientos volvieron a converger en Dustin.

Solo una semana antes la tenía entre sus brazos revelándole su secreto. «Tan solo una semana», pensó Sarah, «y a mí me ha parecido una eternidad». Ante ella veía la apuesta figura de Dustin, trataba de rememorar su olor y sus ojos, que con su oscura mirada le habían anulado casi por completo la voluntad. Anhelaba tanto a Dustin que le dolía todo. Pero al mismo tiempo se daba cuenta de que después de ese día se le habían colado pequeñas dudas en sus sentimientos. Y esas dudas la perturbaban casi más que el hecho de que Dustin la hubiera abandonado, desapareciendo sin dejar ni rastro.

Dustin la había avisado más de una vez.

—Mantente lejos de mí, Sarah, no puedes confiar en mí —le insistía. No le podía reprochar nada, pero en su interior lo hacía... y al mismo tiempo se sentía culpable. No era en vano que no querría haber escuchado sus palabras, y mucho menos deseado aceptarlas. Sarah se frotó los ojos. Tenía ganas de acostarse en su cama y disfrutar de un sueño reparador y sin pesadillas, un descanso que le permitiese olvidarlo todo por unas horas. Pero no lograría calmarse hasta que no viera a Jonathan. Tenía que saber qué era lo que tenía que contarle con tanta urgencia. Eso que le quería decir a solas.

No le resultó difícil encontrar su habitación. Era verdad que estaba justo debajo de la de May y ya desde lejos vio sus zapatos sucios delante de la puerta.

Llamó y Jonathan le abrió a los pocos segundos. La miró radiante.

—Qué bien que hayas decidido venir —le dijo y la hizo pasar. Una vez más, Sarah constató lo guapo que era Jonathan. Y el hecho de que en los últimos tiempos se hubiera comportado con tanta delicadeza y sensibilidad, el que nunca desaprovechase la oportunidad de un cumplido o una frasecita tonta, hacía que le resultase aún más simpático. Sarah sabía que a él le hubiera gustado que entre ellos hubiera más que una amistad. Y si era sincera consigo misma, tenía que aceptar la posibilidad de que la reacción ante sus atenciones hubiera sido muy diferente de no haber existido Dustin. Avergonzada, Sarah rechazó con rapidez ese pensamiento y observó la habitación de Jonathan. «Es curioso», pensó, «todo está tan ordenado..., como si nadie viviera aquí en realidad». Por algún motivo que se le escapaba, imaginaba un Jonathan más caótico, con las paredes repletas de pósteres de sensuales supermodelos. Pero solo tenía el mobiliario estándar de la residencia y un viejo sofá gastado de pana marrón. Sarah se desplomó sobre él, colocando con descuido su abrigo encima de la capa de color oscuro que estaba sobre el reposabrazos.

Dustin siguió corriendo, tras recuperar su rastro después de que intentase engañarlo y girase en otra dirección. Percibió el traicionero crujido de ramas y susurro de hojas e incluso tuvo la impresión de oír un jadeo precipitado. Estaba cerca, cada vez más cerca, lo sentía. Desde el principio de la persecución apenas había bajado el ritmo, su ambición lo había impulsado todo el tiempo. Mientras se desplazaba por la maleza movía a toda velocidad sus pupilas de un lado a otro, escudriñando en cada instante hasta el más mínimo detalle de los lugares que iba atravesando. Es cierto que su respiración se hacía cada vez más dificultosa, pero aún era regular. Tenía el cuerpo y los sentidos bajo control. Nunca antes había estado tan concentrado, tan ansioso por continuar y alcanzar su meta. Puede que ELLA fuera poderosa y careciese de escrúpulos, pero también él disponía de múltiples habilidades. A lo largo de los años había ganado en velocidad y atención. Y ella lo sospechaba, de lo contrario no huiría de él. Solo podía actuar con emboscadas, solo atacaba cuando podía acercarse a hurtadillas y sorprender a su víctima. En caso de que acabara habiendo un verdadero duelo entre ambos, Dustin estaría preparado. No se dejaría golpear con facilidad, no mostraría ningún miedo hacia ella. Y de ahora en adelante evitaría mirarla directamente a los ojos. Sus ojos... eran, con diferencia, su arma más peligrosa. Ya lo habían sido en otro tiempo.

De pronto volvió a resonar un atronador estallido en todo el bosque, y después otro más. Los pájaros salieron volando entre chillidos, un zorro se precipitó aterrorizado por delante de él y desapareció al instante entre la maleza. Dustin perdió el ritmo, aunque a duras penas tuvo tiempo para captar con la vista un pedazo de tejido oscuro ondeante. Aún estaba delante de él. Ahora no podía rendirse. Ya la tenía, no podía distraerse... Dustin estiró la mano, lista para atrapar lo que fuera en cualquier instante, cuando de repente algo grande y oscuro surgió de la maleza y se abalanzó sobre él tirándolo al suelo. Una fracción de segundo más tarde sintió un golpe sordo y duro en el cogote que le cortó la respiración por un breve instante. Después notó un metal frío en la nuca.

—Si le cuentas a alguien lo que has visto te arrepentirás, ¿entendido? —le susurró una voz muy cerca del oído. Y llegó otro golpe, aún más fuerte que el primero. Antes de que la oscuridad se cerniese sobre él, Dustin percibió el hálito de algo conocido. Un dulzor cálido y metálico ascendió hacia su nariz. Era el aroma de la sangre.

Jonathan se encaminó a su pequeña cocina, retiró dos latas de refresco de cola del diminuto frigorífico y le acercó una a Sarah.

—Gracias. —Mientras bebía, Sarah notó que volvía a estar despierta y que ya no se sentía tan cansada como antes.

Jonathan se sentó junto a ella en el sofá. Estaba ensimismado y con la mirada fija en la lata que sostenía con firmeza con ambas manos. Sarah lo miraba, expectante. Finalmente, Jonathan se aclaró la garganta.

—¿Y qué es lo que querías contarme? —preguntó ella, después de que Jonathan no hiciera ademán alguno de tomar la palabra. La miró con expresión seria.

—Sarah, antes de empezar... No quiero que me tomes por alguien que va contando secretos sin más —dijo.

Sarah enarcó las cejas sin entender. No sabía a dónde quería llegar. Pero también Jonathan parecía dudar sobre cómo debía seguir.

—Antes, en la habitación de May... —por fin comenzó— pensé que lo sabías... vamos, lo que le ha pasado... bueno, porque sois bastante amigas. No pretendía ser imprudente. Tú... realmente no sabes lo que le pasó a May antes de que me la trajese aquí, ¿verdad que no?

Sarah lo miró y negó con la cabeza.

—¿A qué te refieres? —preguntó, desconcertada por su balbuceo— ¿Cómo que tú trajiste a May? ¿Y qué le pasó exactamente? Jonathan, te estaría muy agradecida si me contases de qué va todo esto. Estoy harta de todo este secretismo. Al fin y al cabo, ya me doy cuenta yo sola de que algo le pasa a May.

—Sí, eso pensaba... —Jonathan parecía contestar con evasivas. Era evidente lo difícil que le resultaba esa conversación—. Y es también el motivo por el que quería hablar contigo. Creo que sería bueno que conocieras la historia de May. Aunque en su momento prometí no contársela a nadie. Pero comienzo a estar preocupado por ella. Con todas estas desgracias no acaba de lograr sobreponerse sola y no se me ocurre cómo ayudarla. Quizá tú puedas estar pendiente, para que no... caiga en una depresión o algo así. No me resulta difícil imaginar que la muerte de Anna le haya despertado algunos recuerdos. Es muy probable que también por eso sufriera el colapso la semana pasada.

Sarah miró al suelo. Se sentía indecisa. Por mucho que se muriese de ganas de que Jonathan le contase más, su conciencia le decía que quizá sería injusto con respecto a May. Al fin y al cabo, había empezado por decisión propia a contarle más sobre sí misma. Así pues, ¿no sería mejor que esperase? Por otro lado, no le extrañaría que May cambiase de opinión una vez lo hubiese consultado con la almohada. Y si fuera así, nunca llegaría a averiguar la verdad y cuál era el secreto que unía a Dustin y a May. Este último punto la convenció y dejó a un lado sus escrúpulos. Quizá lograse por fin ordenar este gran y desconcertante rompecabezas para llegar a formar un todo lógico.

Miró a Jonathan a los ojos y asintió.

—Sí, por favor, cuéntame lo que sabes sobre May. Quizá yo pueda ayudarla mejor —dijo, y añadió después, con una sonrisa pícara—: Te prometo solemnemente que no te consideraré un chismoso.

Jonathan asintió y sonrió también.

—Muy bien —dijo, y se reclinó en el sofá—. Conocí a May hace alrededor de año y medio, en Chicago —comenzó—. Conozco a bastante gente en la ciudad y por eso a menudo paso las vacaciones y los fines de semana allí. En cualquier caso, el verdadero nombre de May es Elizabeth. Se lo cambió cuando se mudó aquí el verano pasado, porque ya no podía soportar quedarse en Chicago. Quería empezar en Rapids de cero e, idiota de mí, le dije que no conocía sitio más seguro sobre la Tierra. —Jonathan sacudió la cabeza e hizo una breve pausa antes de proseguir—. Deseaba tanto ayudarla... ¿Sabes? Perdió a su novio de una forma bastante espeluznante. Lo pasó fatal... y aún sigue sufriendo por ello. Es muy probable que hayas oído hablar del asesinato de Simon Wheet, ¿verdad? Apareció bastante en los medios de comunicación.

—Sí, yo... me enteré —dijo Sarah y se estremeció. Así pues, era cierto que May (o mejor dicho, Elizabeth) era la novia de Simon. Cuando Sarah había visto la foto del muchacho en la habitación de May, este le recordó en un primer instante a Dustin. Pero luego, observándolo de cerca, se había acordado del que murió asesinado en su antiguo barrio de Chicago.

La mente de Sarah era como una montaña rusa. Intentaba ordenar lo que Jonathan le iba contando. Pero si antes de cambiar de escuela, May había vivido en Chicago y mantenido una relación con Simon, ¿qué pasaba con Dustin? Según el relato de May, lo había conocido más o menos por la misma época en Italia... poco antes de cumplir los dieciséis. Sarah se pasó los dedos, temblorosos, por el pelo. La información no cuadraba. Se concentró. Había visto la foto donde aparecían May y Simon juntos. Así que lo que Jonathan contaba debía de ser verdad. Y también era cierto que May y Dustin se conocían bastante, porque estaba enterada de su secreto y sabía más de él que Sarah. No obstante, debieron de haberse conocido en otro momento...

—Sarah, ¿va todo bien? —Sarah se sobresaltó cuando Jonathan la sacó de sus pensamientos, pero se esforzó por sonreír de inmediato—. Sí, sí, todo en orden, solo estaba pensando en May. La pobre, la muerte de su novio debe de haber sido terrible para ella. —Sarah miró a Jonathan expectante y se preguntó si tendría algo más que contarle. Pero, al parecer, aquello era todo. Probablemente no supiera nada más—. Agradezco tu sinceridad —dijo finalmente—. Creo que esta horrible historia explica el hermetismo de May y su colapso tras la muerte de Anna.

Jonathan asintió. A continuación añadió:

—Esperaba que May entablase amistad con Dustin. Al fin y al cabo, él ha pasado por algo parecido. Pero, por desgracia, no parecen caerse demasiado bien. En todo caso a mí siempre me dio la impresión de que se evitaban.

Sarah tragó saliva al oír el nombre de Dustin.

—Tú... ¿tú sabes lo de Clara? —preguntó mirándolo con sorpresa.

—Sí —contestó Jonathan—, una vez que estábamos a solas me habló de su asesinato. Un asunto feo, sobre todo porque al parecer la había querido mucho. En fin, no hace demasiado que pasó... pero, si te soy sincero, me sorprendió un poco que se interesase tan rápidamente por otra muchacha y se liase con Anna. Es probable que no fuera más que una forma de consuelo. Me alegré de que no cayeras tú también... Quiero decir, no me gustaría que solo hubieras sido una sustituta, Sarah.

Ya sé que te gusta mucho, pero... —Jonathan se interrumpió—. Perdona, la verdad es que no pretendía decir nada de esto, ha sido una torpeza por mi parte... y bastante indiscreta.

Sarah estaba como paralizada en el sofá, sin dejar de mirar a Jonathan. Sus últimas palabras las encajó como puñetazos. La idea de que Dustin le hubiera hablado a Jonathan de su pérdida no le gustaba nada. ¿Es que Dustin pensaba en su fuero interno que Clara sí que habría podido ser su gran amor salvador y que había actuado con demasiada precipitación al no decidirse por ella? Si era así, ¿qué representaba entonces Sarah para él?

—Sarah, ¿te has enfadado? —preguntó Jonathan preocupado—. Créeme, no quería herir tus sentimientos.

—No, no, no lo has hecho. No pasa nada —murmuró Sarah y añadió con prudencia—: ¿Y has... has sabido algo de Dustin en este tiempo?

Jonathan negó con la cabeza.

—No —dijo—, en todo caso, no de él directamente. Pero antes me encontré con el director y me dijo que Dustin tenía que arreglar algunos asuntos de herencia en Europa. No tengo ni idea de si es verdad. Más bien me parece que la muerte de Anna lo ha descolocado y por eso se ha largado. Es ya la segunda muchacha que ha querido en su vida, que muere. Suficiente para destrozarte... ¿quieres otro refresco de cola?

Sarah negó con la cabeza.

—Ya son casi las nueve y media, ahora tengo que irme a casa —contestó. Además, no quería oír nada más. Era suficiente para un único día. Ahora solo necesitaba su cama, la música de su grupo favorito a todo volumen y una profunda y reparadora oscuridad a su alrededor. De todos modos, al día siguiente visitaría de nuevo a May con la esperanza de que continuase la historia. Quizás entonces se aclararían también las incongruencias. Eso sí, debía andar con mucho ojo para no hacer ninguna alusión que remitiese a su conversación con Jonathan. Sin duda, May se enfadaría y Jonathan no volvería a confiarle nada más.

Sarah se levantó con esfuerzo del sofá.

—¡Eh!, espera —dijo Jonathan—. No deberías ir a pie a casa. Venga, te llevo.

—Ah, mierda, ¡es verdad! —Sarah no se había vuelto a acordar de que llevaba todo el día por ahí sin su vehículo—. No te preocupes, no está tan lejos y me vendrá bien tomar el aire.

—De todos modos, una muchacha guapa como tú no debería andar sola por ahí a estas horas. Te llevo, lo prefiero.

Sarah asintió.

—Bien, como quieras... Pero prométeme que no hablaremos de cosas serias. Hoy ya estoy más que harta de problemas y malas noticias.

Jonathan rió.

—De acuerdo, se acabaron las cuestiones deprimentes. ¿Conoces aquel del hombre que se quita el sombrero y dice...?

—Para —le interrumpió Sarah entre risas—. Los chistes malos pueden llegar a deprimir aun más.

—Está bien, lo he entendido. Entonces elige tú de qué hablamos.

—¡Eso ya es otra cosa! —Sarah tomó su abrigo sonriendo. Al hacerlo, la capa oscura de Jonathan se deslizó del reposabrazos, dejando caer un poco de tierra y de hojas sobre la alfombra.

—Déjalo, de todos modos lo tengo que lavar —dijo Jonathan, cuando Sarah iba a agacharse a recoger el abrigo; y esta se encogió de hombros.

Capítulo 5

Dustin se incorporó aturdido y se palpó la nuca. ¿Qué había pasado? ¿De dónde venían esos tiros? ¿Quién le había golpeado? ¿A quién pertenecía aquella voz?

—Si le cuentas a alguien lo que has visto, te arrepentirás, ¿entendido?

La voz había sonado glacial, brutal. Pero... no era SU voz, Dustin estaba bastante seguro de eso. Parecía más bien masculina.

Dustin miró a su alrededor y esperó a que sus ojos se acostumbrasen a la profunda oscuridad. Esta vez necesitó un poco más de tiempo del habitual hasta poder distinguir algo. Miró su reloj. Ya eran las nueve y media, así que había estado inconsciente varias horas.

«Curioso», pensó. «Era su oportunidad. Habría podido vencerme fácilmente en mi estado y encerrarme en algún sitio para dejarme morir de hambre. ¿Cómo es que no lo ha hecho? ¿Qué plan diabólico se trae entre manos esta vez?»

De pronto, un pensamiento le atravesó la mente: ¿Y si lo que pasaba era que ya no seguía su rastro sino otro totalmente distinto? Se levantó un débil viento y le volvió a traer el aroma de sangre. Pero ahora se había mezclado con él una nota diferente, tan solo un matiz, pero aun así inconfundible: el olor de la muerte. La mirada de Dustin escrutó el entorno y acabó descubriendo unos rastros a sus pies: brillantes regueros rojos que discurrían por el terreno blando y revuelto del bosque. «Huellas de arrastre», pensó. Alguien se había llevado a su víctima. ¿Qué pasaba allí? ¿Con quién se había cruzado?

Dustin se desplomó cubriéndose la cara con las manos. Sus labios, que parecían tener voluntad propia, formaron esa palabra que se le antojaba lo único intacto, el único consuelo en ese remolino de absurdos:

—Sarah, Sarah, Sarah. —Susurró su nombre en la noche como un ruego desesperado, como una plegaria.

Un extraño miedo a que le pudiera haber pasado algo se coló en su mente y ya no lo abandonó.

Dustin reflexionó. Aunque no sabía exactamente dónde vivía Sarah, estaba delante cuando Jonathan le había preguntado su dirección para pasar a recogerla antes de la fiesta de Carol. Por lo menos, del barrio se acordaba. El ansia de ver luz en la habitación de Sarah, simplemente eso, saber que estaba bien, dominaba cada vez con mayor intensidad sus pensamientos. Las personas que poseían un corazón lo llamaban añoranza. Dustin no sabía si aún era capaz de albergar ese sentimiento y si podía llamar añoranza a lo que sentía. Pero notaba cómo este sentimiento le impelía a buscar la casa de Sarah.

Durante el trayecto, Sarah y Jonathan apenas intercambiaron una palabra. Sarah tenía serias dudas sobre la posibilidad de que no lograsen hacer el cambio para charlar sobre cuestiones banales. Probablemente ese día habían pasado demasiadas cosas graves como para eso. En realidad agradecía el silencio y cerró los ojos, agotada. La ligera vibración del vehículo sobre el asfalto y la suave música de la radio acompañada del zumbido monótono del motor la calmaron y se quedó dormida.

—¿Sarah?

—¿Sí? —Sarah miró a Jonathan con ojos cansados. El automóvil estaba entrando en la calle en la que vivía con su madre—. ¡Vaya!, ya hemos llegado —Sarah se incorporó y se frotó los ojos.

Jonathan respiró hondo.

—Todo este tiempo quería decirte también otra cosa —comentó en voz baja.

—¿Qué? —Sarah lo miró con expresión interrogante.

Jonathan se detuvo ante la entrada de su pequeña vivienda.

—Solo quiero que sepas... Vamos, que me gustas mucho, de verdad, Sarah —confesó al fin, y la miró de reojo con cautela—. Quiero decir, aparte de que me pareces guapísima e increíblemente *sexy,* me gustas, así de simple. Me siento bien cuando estoy contigo y confío en ti. Y eso es algo que no se encuentra a menudo y que significa mucho para mí —Jonathan rió con timidez y se pasó la mano por los rubios mechones—. Madre mía, esto... no es algo que diga muy a menudo a una muchacha y me gustaría que lo tomases como un cumplido y no como una fórmula barata para ligar.

Sarah miraba a Jonathan boquiabierta. Con eso no contaba. Notaba cómo se abría paso en su interior una sensación de calidez. Jonathan había dicho aquello sinceramente, lo sentía. Y ella lo veía en su mirada tímida. Lo admiraba por su valor. Seguro que no había sido fácil para él hacerle a Sarah ese «cumplido», como él mismo lo definía. Al fin y al cabo, solo hacía una semana que ella lo había rechazado, y que aun así le hiciera una confesión como esta, la conmovía.

Cuando tomó la palabra, Sarah tenía la boca seca y el paladar, áspero:

—Gracias, Jonathan —dijo con voz queda—. Ha sido muy amable de tu parte y aprecio de verdad la confianza que me has mostrado. —Mierda, ¿por qué sonaba tan formal? ¿Por qué no le decía con sencillez lo mucho que la habían conmovido sus palabras? Lo miró a sus ojos francos y claros—. Y por cierto —añadió—, tú también me gustas. —Sarah se asustó al oírse esta frase, que había salido sin querer de su boca, pero sentía que era verdad. Su relación con Jonathan era en ese momento la única que no le comportaba problemas. Él estaba sencillamente allí para ella, se preocupaba por ella, actuaba de forma responsable y era franco y honesto. Por todo eso Sarah le estaba muy agradecida. Sentaba bien tener a alguien al lado que no le hiciera a una la vida aún más dura. Jonathan era extraordinariamente... normal.

—Gracias por traerme a casa —dijo Sarah, sonriente; y estaba ya a punto de abrir la puerta del vehículo, cuando la mano de Jonathan se adelantó y la sujetó por el brazo. Sarah soltó un grito, asustada.

—Jonathan, ¿qué ocurre?

—Quédate en el asiento, Sarah —susurró alarmado—. ¡Allí fuera hay alguien!

Clac-clac-clac-clac... Dustin se quedó paralizado al oír los pasos. Se dio la vuelta justo a tiempo para ver el borroso contorno de una mujer con tacones, que entraba en una casa. Suspiró aliviado. Pero entonces... otro ruido. Dustin se volvió con rapidez en la dirección opuesta. Era solo un hombre que paseaba con su perro.

—No tengas miedo, no hace nada —dijo y dirigió a Dustin una sonrisa cordial. Después se quitó el sombrero a modo de saludo y giró hacia una estrecha calle lateral. Dustin cerró los ojos y sacudió la cabeza, molesto consigo mismo por comportarse de una forma tan cobarde. Debía recuperar el dominio sobre sus reacciones. Era bueno ser precavido, pero eso no podía transformarse en inseguridad, porque entonces sería fácil que cometiese un error. Probablemente los recientes acontecimientos en el bosque y, sobre todo, su aislamiento de días en esa oscura cabaña le habían hecho perder el juicio lentamente, y veía ya un peligro tras cada esquina. Además, aún se sentía un poco aturdido por los fuertes golpes que había recibido en la cabeza. Tenía la seguridad de que le seguían afectando tanto a la orientación como a la agudeza de sus sentidos. Dustin se pasó la mano por los ojos y después continuó corriendo hasta llegar a unos edificios que le resultaban conocidos. Esta debía de ser la pequeña urbanización en la que vivía Sarah. Ahora solo tenía que encontrar su casa.

Sarah y Jonathan permanecían inmóviles. Miraban como hechizados el retrovisor del vehículo. Jonathan aún tenía su brazo agarrado con fuerza. Así transcurrieron un par de segundos, pero todo seguía en calma. A la pálida luz de la única farola no se distinguía a nadie.

—Jonathan, creo que te has equivocado, allí no hay nada. Quizá sea solo un animal o...

—¡Psssst! —Jonathan se colocó el dedo sobre los labios. Efectivamente, había algo... ¡un ruido! Unos pasos se acercaban... clac-clac-clac-clac...

Sarah respiró aliviada. Una mujer, vestida con ropas elegantes, salió de un portal y miró a su alrededor como buscando algo.

—¿Ves? Solo es alguien que no conoce el barrio —dijo Sarah dirigiéndose a Jonathan. Se soltó de su mano y salió del vehículo.

—Sarah, espera, por favor... —Jonathan salió también del vehículo. La mujer se volvió hacia ellos.

—¿Necesita ayuda? —le gritó Sarah. La mujer se quedó quieta un instante, y después se les acercó. Llevaba un abrigo negro ajustado y el pelo, recogido, emitía destellos rojizos a la luz de la farola.

Cuando llegó a su altura, Jonathan se pegó a Sarah y la rodeó con el brazo como protegiéndola. Sarah lo miró sorprendida. ¿Detectaba miedo en su mirada? ¿Qué le pasaba?

—Querida, es muy amable de su parte que se ofrezca a ayudarme —dijo la mujer, y dedicó a Sarah una radiante sonrisa. Tenía los labios pintados de rojo. Se quedó mirando el rostro de Sarah con ojos entrecerrados—. Nos conocemos de algo, ¿no? —Parecía meditar—. ¡Ah, ya lo sé! —dijo de repente, satisfecha— Linda Thompson, la hija de Michelle, de la calle Jefferson...

Sarah se sorprendió.

—No, lo siento, debe de confundirme con otra persona. Mi nombre es Sarah Eastwood. Vivo justo al otro lado de la calle.

—¿Ah, sí? Sarah... Pues debo de haberme equivocado. ¡Cómo os parecéis! —La mujer sonrió melosa y después se dirigió a Jonathan—. Sea como fuere, creo que ya sé por dónde ir, gracias —dijo.

Sarah sintió de pronto un escalofrío. Jonathan, que parecía haberlo notado, la atrajo más hacia sí.

—Encantador —dijo la mujer—, qué pareja más mona—. Cuide bien de su amiguita. —Les dirigió a ambos otra sonrisa y después pasó a su lado con andares majestuosos y desapareció por la primera esquina.

—Qué loca —dijo Sarah y comprobó que también Jonathan temblaba—. Pero mírate, tú también te has puesto a temblar de repente —dijo.

Jonathan asintió.

—Sí —repuso con voz apagada y la mirada vacía—. Sí, está haciendo frío.

Dustin se detuvo, sorprendido. Recordó haber estado antes justo en ese lugar. ¿Es que habría recorrido ya todo el barrio y se le había pasado por alto la casa de Sarah? No podía ser tan difícil de encontrar, total se componía solo de un par de calles. Dustin buscó a su alrededor con la vista. Al darse cuenta de que por allí abajo aún no había ido, se metió en la estrecha callejuela por la que desapareció antes el hombre con el perro. Estaba oscuro, excepto hacia la mitad del camino, donde una única farola alumbraba con una luz más bien débil, aunque suficiente para que el vecindario quedara un poco más iluminado. Dustin aguzó la vista. ¿No estaba allí, frente a la entrada de la casa, el utilitario de Sarah? Apretó el paso, impulsado por un íntimo deseo de conseguir estar más cerca de ella. ¿Estaría en casa? ¿Habría aún luz en su habitación? ¿Podría distinguir algún movimiento, al menos su sombra, detrás de las cortinas? Solo buscaba alguna señal de vida, algo que le mostrase que ella se encontraba a salvo. Dustin avanzó hacia la casa, al amparo de la espesa arboleda. Cuando ya casi había llegado, se detuvo bruscamente. Escuchó con atención. Se oían voces suaves. Y allí, en un extremo de la calle, había dos personas muy juntas... al lado de un Chrysler plateado.

—Tienes mala cara, Jonathan. ¿Va todo bien? —preguntó Sarah. El muchacho, turbado, apartó el brazo con el que la rodeaba.

—Sí, va... va todo bien —balbuceó—. Creo que estoy agotado, nada más.

Sarah asintió.

—Ya, yo también; ha sido un día duro. —Callaron durante un instante—. En fin, me voy. Buenas noches, Jonathan.

—Buenas noches, Sarah. Que descanses.

Sarah sonrió a Jonathan y —sin saber ni ella misma por qué— lo abrazó, sencillamente. En un primer momento pareció sorprendido sobresaltándose al sentir su roce pero, después, correspondió a su abrazo y la estrechó con fuerza. Sarah cerró los ojos. Notaba lo bien que le sentaba este gesto de protección y confianza, y le hubiera gustado quedarse ahí para siempre. Se acordó de Dustin y de cuánto deseaba tener siempre a alguien a su lado, alguien en quien pudiera confiar ciegamente, que le brindase consuelo, que no tuviera secretos para ella y que no la dejase sola sin más, cuando se hallaba desconcertada y con demasiadas preguntas por responder. Alguien que la sostuviera entre sus brazos, que le brindase calidez y protección... Alzó la cabeza despacio y miró a Jonathan con los párpados entornados. Sus caras estaban solo a un par de centímetros de distancia. Sarah sentía su respiración, el tacto de sus manos en su espalda... Un ruido repentino les hizo separarse. Sarah miró a su alrededor, desconcertada. Algo había crujido detrás de los árboles. Se alejó otro paso de Jonathan y notó cómo le ardían las mejillas. El corazón le latía con fuerza, agitado.

—Yo... tengo que irme ya. Hasta pronto, Jonathan. —Sarah se dirigió a la entrada sin mirar atrás. Hasta que no hubo abierto la puerta no oyó como Jonathan ponía en marcha el motor, daba la vuelta y se alejaba.

Sarah estaba tan agitada por lo que acababa de pasar que le temblaba todo el cuerpo. Entró en el corredor y se contempló el rostro en el espejo colgado enfrente de la puerta. Hasta sus ojos le resultaban curiosamente extraños, y su corazón seguía latiendo con violencia. Aturdida, se pasó la mano por la frente. Se sentía como si despertase de algún tipo de trance. ¿A qué venían esos extraños pensamientos que se le acababan de colar en la mente? ¿Qué significaban?

«Nada», se dijo a sí misma, «no ha sido nada. No siento nada por Jonathan y no hay nada de malo en que lo haya abrazado. Los amigos se despiden así y la conversación de esta noche nos ha acercado, eso es todo. Jonathan es un compañero, nada más...».

Sarah percibió un movimiento en el espejo. Del susto se le cayó la llave que aún sostenía en la mano. Se agachó acongojada, la recogió y se dio la vuelta. Solo entonces vio que la puerta de entrada seguía abierta de par en par.

Sarah dio un par de pasos con cautela hacia fuera y se quedó un rato expectante. Escuchó con atención y trató de distinguir algo, pero no se movía ni un alma. Todo permanecía en silencio. Un silencio lúgubre. Y, sin embargo, tenía la extraña sensación de que ahí fuera, en la oscuridad, se ocultaba algo... ¿o alguien?

—¿Dustin? —susurró Sarah hacia la oscuridad. No sabía por qué lo hacía. Era probable que la impulsara su ardiente deseo de verlo aparecer por sorpresa ante ella, para asegurarle lo mucho que la echaba de menos; le resultaba del todo inútil su intento de apartar de su mente aquel momento maravilloso que habían compartido... Sarah anhelaba con fuerza recibir una señal de él, quería que despejase todas sus mortificantes dudas con un par de sencillas explicaciones. Pero tal vez esperaba en vano que volviera, quizá había desaparecido para siempre y ella debía aprender a olvidarlo, tanto a él como su increíble historia. Y debía abandonar su sueño secreto de que acaso ella pudiera darle un giro favorable a la situación.

Sarah alzó la vista hacia el cielo nocturno, en el que brillaban estrellas aisladas. ¿Cómo podía ser tan inocente y suponer que sería capaz de arreglar algo en medio de toda esa confusión? Era una joven e insignificante alumna de instituto y no una superheroína de una película de Hollywood.

Se arrebujó en su abrigo intentando espantar un súbito temblor.

—Dustin, Dustin, Dustin... —Susurró su nombre en la noche como un ruego desesperado, como una plegaria. Pero sabía que este viento no le llevaría sus palabras. El aire que respiraba estaba helado, resultaba punzante y era de mal agüero.

Sarah y Jonathan, Jonathan y Sarah... abrazados con fuerza...

Dustin atravesó el bosque corriendo como un loco. Quería borrar las mortificantes imágenes que se le aparecían una y otra vez, quería sacudirse esa sensación de entumecimiento que se extendía por su cuerpo, pero no lo conseguía. La escena contemplada delante de la casa de Sarah le volvía al recuerdo con una insistencia exasperante. Sarah y Jonathan... su prolongado abrazo, era demasiado íntimo para unos simples amigos. Dustin percibía el entorno como a través de un velo blanquecino. Había emprendido el camino de vuelta como un autómata, sumergiéndose otra vez en la oscura espesura. Las ramas le azotaban en la cara, las espinas desgarraban y destrozaban sus ropas, pero apenas lo notaba... Seguía corriendo, corría y corría, quería llegar al límite de sus fuerzas, desconectar su cuerpo, dormir, solo dormir y olvidar ese momento...

Una vez que hubo llegado a la vieja cabaña junto a la cantera, su guarida, se vino abajo y dejó escapar un fuerte grito de desesperación. Dos pájaros salieron volando de la maleza asustados por ese sonido poco habitual. Un momento después Dustin se volvió a levantar con esfuerzo. Respiraba aceleradamente.

«¿Para qué todo esto?», se preguntó. Y de nuevo, como un martillazo: «¿Para qué todo esto?». Dustin escuchó en su interior. Era ella... la voz que a menudo había intentado hacerse oír. Él la había ignorado siempre tanto como había podido, no había querido mezclarse con ella. Pero ahora estaba preparado para escucharla. Quería saber lo que tenía que decirle. No quería seguir resistiéndose a esa voz.

«Ríndete, déjalo ya... ¿a qué esperas?», le susurraba en tono amistoso. «Acaba ya con todo esto, a ser posible hoy mismo... Una vez te has decidido va todo muy rápido. Toma toda la que quieras... Sangre, sangre caliente, dulce, saciante... sangre humana. Bebe, bebe hasta que te sacies, hasta que calmes tu más íntimo deseo. Después, ya no habrá más dudas, al fin sabrás de qué lado estás, quién eres, qué eres. Ya no estarás en el medio, ya no habrá lucha, ya no habrá malos despertares. Lograrás tu ansiada calma, calma, calma, y en vez de la martirizante esperanza tendrás claridad. En realidad lo deseas desde hace tiempo, así que sigue el camino, ve ahora, no es difícil...»

Dustin caminaba como un autómata, poniendo un pie delante de otro, al principio vacilante, después con creciente resolución y determinación.

«Bien, bien», continuó alentándolo la voz, «al fin eres sincero contigo mismo, al fin dejas de mentirte.

Tendrías que haberlo hecho antes, mucho antes, y te hubieras ahorrado no pocos sinsabores. Incluso lo de hace un momento...».

Dustin siguió corriendo sin pausa, se dejó llevar, se dejó guiar por la voz hasta que llegó a la linde del bosque. Allí esperó... Cuando vio a la joven practicando *footing* por la carretera mal iluminada, notó cómo su cuerpo se preparaba solo para el paso siguiente. Sus músculos se tensaban bajo la piel, cada uno de ellos se disponía a actuar. Y sus labios temblaban mientras las afiladas y letales armas se abrían paso, reclamando espacio para cumplir su cometido...

—*Ven, Sarah, quiero enseñarte una cosa* —*May me toma por el brazo con suavidad y me lleva hacia la ventana de su habitación de la residencia. Cuando miro hacia fuera, noto cómo ha cambiado todo. El recinto del instituto está irreconocible, los adoquines, los bancos de madera y los parques han desaparecido. En su lugar contemplo un oscuro bosque. Bueno, en realidad solo lo adivino, porque únicamente puedo ver los siniestros contornos de árboles que se alzan hacia el firmamento. Todo lo demás se desvanece en un vapor neblinoso.*

—*No entiendo* —*digo y me vuelvo hacia May.*

—Sí, creo que sí lo entiendes —responde y me mira fijamente a los ojos—. Lo que pasa es que no quieres entender. Venga, inténtalo otra vez. Tienes que fijarte bien, entonces lo verás claro.

Vuelvo a mirar por la ventana... y mi corazón se detiene de miedo, se salta un par de latidos.

La niebla se ha aclarado y puedo ver una superficie iluminada por la luna y rodeada de árboles.

Dustin está allí arrodillado en el suelo, una muchacha sin vida yace en sus brazos. Tiene la boca pegada a ella, desgarra su cuerpo, chupa con ansiedad en su garganta... Hay sangre por todas partes... Dustin no se detiene ni un segundo, no deja libre a su presa. Parece estar fuera de sí.

Quiero apartar la vista del horror, porque es imposible que esto sea verdad, pero May me sujeta por detrás y me obliga a seguir mirando la espantosa escena.

—¿Ves ahora la realidad, Sarah? ¡Es esa!

Quiero cerrar los ojos, pero no logro mover los párpados, están como petrificados. No consigo escapar de esta horrible imagen. Quiero gritar, quiero suplicar a Dustin, despertarle de su delirio de sangre, quiero parar esto y que no haya pasado, pero de mi garganta no sale ni un sonido. Estoy desamparada, no puedo hacer nada contra la pavorosa verdad de ahí abajo. Es más fuerte que yo...

El pecho de Sarah subía y bajaba. Lenta, muy lentamente se fue calmando y el aterrado latir de su corazón cesó. Cerró los ojos y oyó el ruido de cacharros y cazuelas que le llegaba desde lejos, de la cocina. Siempre la irritaba que su madre no fuera capaz de poner la mesa para el desayuno haciendo un ruido normal. No obstante, ese día Sarah estaba encantada de oír esos ruidos. Le mostraban que eso de ahí era la vida, la realidad. El estrépito era auténtico, surgía de un mundo real y no de un terrible sueño repleto de visiones espantosas. Imágenes hechas de fraude y mentira. Producto del miedo, surgidas de sus dudas. Las dudas, esas horribles dudas...

El día anterior, Sarah en su intento por no seguir pensando siempre en lo mismo, se dedicó solo a escuchar las animadas canciones de los Yeah Yeah Yeahs permitiendo que la música la envolviera, sin más, dejándose llevar. Sin embargo, las preguntas clave se las había llevado a la cama y seguían rondándola: ¿Y si Dustin sí había tenido algo que ver con la muerte de Anna? ¿Y si él —ya fuera de forma intencionada o siguiendo un impulso— la había asesinado aquella noche?

Sarah se levantó, arrastrándose hasta el baño. Cuando se miró en el espejo, el reflejo de su propio rostro la asustó. Estaba pálida y tenía un aspecto de agotamiento total. Debía aplicarse a conciencia para cubrir con maquillaje esas oscuras ojeras, de lo contrario el desayuno con su madre resultaría duro. Mientras se ponía el corrector, el sonsonete interior continuaba sin cesar. ¿Y sí...?

Sentada a la mesa de desayuno, a Sarah se le hacía difícil concentrarse en la conversación. Las palabras de su madre llegaban a sus oídos como un eco lejano, y Sarah tenía la impresión de que esa mañana necesitaba el doble de tiempo para reaccionar. Por supuesto, a Laura Eastwood no se le escapó la distracción de su hija, y al poco rato sacó a colación el asunto.

—Escucha, Sarah, cariño, por supuesto entenderé perfectamente si prefieres no hablar de ello —dijo preocupada mientras daba vueltas a la cucharilla en su taza de café—. No quiero presionarte... pero si ayer el entierro de Anna fue demasiado, siempre puedes hablar conmigo; espero que lo sepas. No me gustaría que... que la muerte tenga un papel demasiado importante en tu vida. En los últimos tiempos te la has encontrado con demasiada frecuencia —dijo sollozando, lo que hizo que Sarah levantara la mirada, perpleja. ¿Tenía su madre los ojos llorosos?—. Ojalá hubiera sido diferente. Con sinceridad, me encantaría que pudieras crecer sin preocupaciones o que yo pudiera protegerte de experiencias tan dolorosas —prosiguió Laura Eastwood. Dejó caer la cucharilla—. Ni yo lo aguanto

ya. Siempre y en todas partes estas espantosas noticias
—dijo con voz temblorosa—. Esperaba que aquí pudiéramos por fin tener tranquilidad, que hicieras nuevos amigos y recobrases la alegría de vivir. Ya no sé qué más podemos hacer. Me siento tan... tan impotente. A ver, no podemos volver a mudarnos y huir... —Su voz seguía temblando tanto que tuvo que interrumpirse a mitad de la frase.

«Por favor, no más lágrimas, mamá, por favor, por favor, ¡no más lágrimas!», rogaba Sarah en silencio. Miraba a su madre fijamente con el corazón palpitante y empezaba a sentir calor. «Por favor, no empieces a llorar, domínate...»

De repente Sarah se dio cuenta de que hacía mucho tiempo que no veía a su madre llorar. No sabía qué debía hacer llegado ese punto. Tenía que decir algo rápido para tranquilizarla.

—Mamá, seguro que pronto se arreglará todo —comenzó Sarah con un tono deliberadamente resuelto—. La muerte de Anna fue un terrible accidente y todos están aún conmocionados. Pero no volverá a pasar algo así, está claro que no. Se han colocado señales de aviso por todas partes.

Laura Eastwood tragó saliva un par de veces y después asintió con energía, como si quisiera creer a toda costa en las palabras de Sarah.

—Ya, ya lo sé, tienes razón —dijo con voz más firme, y Sarah respiró aliviada—. Un accidente... y para nosotras es una horrible coincidencia que precisamente en nuestro nuevo hogar pase algo así.

—Exactamente, eso es —contestó Sarah—. Y por eso tampoco vamos a irnos. Nos quedamos.

La madre de Sarah se levantó mostrando una sonrisa forzada y metió los platos en el lavavajillas y la mermelada y la mantequilla en el frigorífico.

—Mmm... ya casi no nos queda nada de comida —constató—. Va siendo hora de hacer una compra grande, ¿tienes planes?

—Ninguno hasta por la tarde, que he quedado con Elizabeth; quiero decir, con May. Si quieres, podemos ir antes al supermercado.

—Estupendo, entonces recojo en un momento la ropa tendida y salimos.

—Perfecto —Sarah se sirvió un vaso de zumo de naranja y se acercó el periódico, que estaba sobre el aparador aún intacto. Lo abrió por la sección regional y leyó por encima los titulares:

«La media maratón es todo un éxito.»

«El alcalde inaugura un nuevo pabellón ferial.»

«Se encuentran más animales muertos en el Canyon Forest.»

Sarah no pudo evitar estremecerse. Después leyó las líneas de debajo:

«Un trabajador forestal encontró ayer dos corzos muertos en el Canyon Forest. El lugar del hallazgo está a tan solo algunos metros del sitio donde se encontró la semana pasada el cadáver de la estudiante Anna Simpson. La joven fue atacada por un lobo herido y murió desangrada. Hasta el momento no se sabe con seguridad qué causó las heridas del animal. También las que presentaban los corzos fueron la causa probable de su muerte. Los investigadores no descartan la posibilidad de que haya cazadores furtivos en el Canyon Forest. Por este motivo se ruega a los ciudadanos precaución, en particular a últimas horas de la tarde y primera hora de la mañana. Si tienen alguna información, por favor diríjanse a...»

Sarah dejó caer el periódico. Tenía la boca seca y le temblaban las manos. Más animales muertos en el bosque... ¡heridos! Apenas se atrevía a analizar sus pensamientos. ¿Y si no eran unos cazadores furtivos los que estuvieran causando desgracias en el Canyon Forest? ¿Y si era Dustin quien se estaba escondiendo allí? De todos modos, Sarah no se creía la historia de su viaje a Europa. Quizá tras la muerte de Anna y las acusaciones de May, se había escondido en el bosque para esquivar las investigaciones. Sarah sentía cómo su corazón latía cada vez más agitado, mientras dentro de ella se iba extendiendo la esperanza de que su suposición fuera cierta.

—¿Estás lista, cariño?

La voz la arrancó de sus pensamientos, y Sarah se dio la vuelta sobresaltada. Su madre tenía ya puesto el abrigo y las botas y balanceaba la llave del vehículo.

—Sí, ya voy, solo un segundo.

Ni en el supermercado conseguía Sarah apartar a Dustin de sus pensamientos. Por supuesto que no se había ido lejos, estaba allí cerca, en el bosque. Y ella lo encontraría y oiría de sus propios labios lo que había pasado realmente aquella noche, cuando Anna había muerto de una forma tan horrenda. Dustin le diría la verdad, de eso estaba convencida.

—Mmm, ¿qué opinas? ¿De atún o de pollo? —Su madre, indecisa, sujetaba delante de la nariz de Sarah dos pizzas congeladas.

—Mamá, da igual —contestó Sarah irritada. Ir a comprar con su madre requería realmente mucho tiempo—. Compra las dos, tampoco será para tan...

Sarah se interrumpió en mitad de la frase, cuando percibió de repente una expresión asustada en los ojos de su madre. Siguió su mirada y entonces también ella lo vio... enfrente, en la sección de verdura, estaba Tom Keith mirándolas. Sarah notó cómo su cuerpo se contraía. El señor Keith también parecía desconcertado.

—Hola, Laura, hola, Sarah —dijo, tratando de sonreír.

—Hola, Tom —Laura Eastwood tenía un hilo de voz—. ¿Qué tal... qué tal te va en tu nuevo departamento?

Tom Keith, nervioso, se pasó la mano por el pelo.

—Muy bien, gracias. Los compañeros son amables y el programa de turnos es muy favorable. Pues nada, quizá... nos volvamos a ver pronto en el comedor —repuso, saludando brevemente y, sin una palabra más, desapareció de su vista.

Sarah tomó las pizzas de manos de su madre y las echó en el carro de la compra. A continuación siguió, empujando este lentamente por el pasillo. Tras una breve vacilación su madre la siguió.

—¿Nos dejamos alguna cosa? ¿Y leche? ¿Hay suficiente? —Sarah trataba de sonar lo más natural posible para que no se le notase el desconcierto ante el breve encuentro con Tom Keith. En las últimas semanas no había dejado de preguntarse si su madre aún se veía con él o no. En cuanto a que al parecer ya no trabajaba en su departamento, no tenía ni idea. ¿Se habría ido a petición de su madre? ¿Porque ella le había dicho que Sarah se oponía a que su madre tuviera una nueva pareja?

—Quizás estaría bien comprar un par de litros por si acaso, no sé cuánta nos queda —contestó Laura Eastwood distraída, para acto seguido meter algunos cartones de leche en el carro. Sarah la miraba de reojo. Sus mejillas estaban palidísimas y de repente tenía un aspecto agotado y desmejorado.

—Son setenta y cuatro dólares con ochenta —dijo la cajera. La madre de Sarah sacó del bolso la tarjeta de crédito con dedos temblorosos. Después de pagar se repartieron cada una de ellas dos bolsas de papel llenas hasta arriba y atravesaron, sin mediar palabra, el aparcamiento. Poco antes de llegar al vehículo, Laura Eastwood tropezó. Se le cayeron las bolsas al suelo y todos los productos se desparramaron sobre el asfalto levantando un gran estruendo.

—¡Mierda, qué mierda! —gritó la madre de Sarah dejándose caer al suelo y cubriéndose la cara con las manos.

Sarah dejó las bolsas, asustada.

—Mamá, ¿qué ha pasado? —exclamó Sarah, precipitándose hacia su madre, que estaba en cuclillas y desolada entre pedazos de cristal, tarrinas de yogur reventadas y latas de refresco de cola abolladas—. Mamá, ¿te has hecho daño?

La madre de Sarah negó con la cabeza.

—No, solo quería sacar la llave del automóvil y... ¡estas malditas bolsas se han roto sin más! —dijo furiosa—. Mierda, las compras grandes eran cosa de Paul. Siempre se ocupaba tu padre, él... —Su madre gritaba tanto que se le quebraba la voz, y acto seguido comenzó a sollozar de forma que todo su cuerpo temblaba. Le caían lágrimas por las mejillas y entre los dedos.

Sarah miró a su alrededor, atemorizada. Sentía el cuerpo petrificado y un nudo le oprimía la garganta. Precisamente una situación así era lo que había temido. Se sentía desamparada, atrapada en una circunstancia que la superaba por completo. Algunos clientes se empezaban a detener a su alrededor y a mirarlas. Una joven le ofreció ayuda.

—No, gracias, ya nos las arreglamos —dijo Sarah entre dientes, e hizo un gesto de rechazo con la mano. La mujer la miró sorprendida y se fue encogiéndose de hombros. Y de pronto Sarah salió de su inmovilidad e hizo algo sin pensarlo siquiera. Rodeó el tembloroso cuerpo de su madre con los brazos, la estrechó con fuerza, apretó su rostro al de ella, de forma que también sus mejillas se humedecieron por las lágrimas—. Ya lo sé, mamá, ya lo sé —susurró—, todo se arreglará, ya verás... Todo se arreglará. No estamos solas, mamá, por fortuna aún nos... nos tenemos la una a la otra.

Sarah meció a su madre con suavidad, le susurró palabras tranquilizadoras y lentamente, muy lentamente, notó cómo los sollozos cesaban y su cuerpo se relajaba.

Capítulo 6

Por la tarde Sarah fue a la residencia del Canyon High para ver a May, tal y como habían quedado. Disfrutó del trayecto en el Volkswaguen Beetle, su pequeño utilitario, y subió aún más el volumen de la música.

... I know, what I know, I know... On the car ride down, I hear it in my head real low... Turn into the only thing I ever... Turn into, hope I do, turn into you...

La escena que había tenido lugar un par de horas antes en el aparcamiento del supermercado le seguía afectando y le dejaba una sensación de opresión. Ver a su madre tan destrozada la había desconcertado e intimidado. Pero poco a poco fue recobrando la calma y, por suerte, hacía un momento su madre volvía a reír mientras concertaba una cita por teléfono para la tarde del día siguiente.

... *Leave it where it can't remind us, turn this all around behind us...*

La mente de Sarah volvía de nuevo a Dustin y a su propósito de buscarlo. Es cierto que tan solo la idea de ir al bosque por su cuenta la horrorizaba, pero no tenía por qué esperar a que fuera noche cerrada. Su madre había quedado al día siguiente sobre las cuatro con sus amigas para jugar al bádminton y cenar después. Sarah saldría entonces sin ser vista y sin tener que inventarse ninguna excusa.

Aparcó en el recinto del Canyon High y se dirigió a la residencia. Cuando estaba ya delante de la puerta de May y se disponía a llamar, oyó voces dentro. Su mano quedó en suspenso. May no estaba sola, hablaba con alguien. Era Jonathan, sin duda. ¿Y no acababa de oír precisamente su propio nombre? Con cuidado y el corazón latiéndole a mil, pegó la oreja a la puerta. Las voces le llegaban como apagadas, pero con suficiente claridad.

—Parece muy infeliz y cada día me pregunta si sé algo de él.

—Dustin no le conviene, Jonathan.

—Ni idea, probablemente tengas razón. Es tan cerrado y distante... Tiene algo raro. No quiero que le pase nada a Sarah y ella misma se ponga en peligro.

—Ya, lo sé —dijo May—. A mí me pasa lo mismo. Ojalá vosotros dos acabaseis juntos. Formáis una excelente pareja.

Jonathan soltó una leve carcajada.

—En fin, si por mí fuera... Pero no puedo obligarla a enamorarse de mí. Solo puedo hacer todo lo que esté en mi mano para evitarle un desengaño.

—Creo que le gustas más de lo que quizá deja ver —dijo May—. Y se dará cuenta de que Dustin no es el indicado para ella... en el caso de que vuelva alguna vez.

—Si quieres mi opinión —dijo Jonathan—, no me creo esa historia de Europa. Solo se la inventó para tener un poco de tranquilidad después de la muerte de Anna. Seguro que aún está en Rapids.

—¿En serio? ¿Sabes algo concreto? —May sonaba interesada.

También Sarah aguardaba atenta la respuesta de Jonathan.

—No, no, no es más que un presentimiento. Me tengo que ir ya. Si ves a Sarah, salúdala de mi parte, ¿lo harás?

—Lo haré, Jonathan. Muchas gracias por haber venido a visitarme. Hasta luego.

Sarah oyó cómo se acercaban a la puerta los pasos de Jonathan y se apresuró a llamar. Los pasos se detuvieron un instante, luego continuaron y Jonathan abrió la puerta. Sarah notó cómo le empezaban a arder las mejillas.

—¡Hola, Sarah! —dijo Jonathan con una sonrisa—. May te está esperando, yo ya me iba.

—Ah... bueno, pues entonces...

Ambos estaban cohibidos y evitaban mirarse. Después de la noche anterior, Sarah no sabía muy bien qué decirle a Jonathan, y a él parecía pasarle lo mismo.

—¿Eres tú, Sarah? —llamó May desde el interior de su habitación.

—Sí, yo... Bueno, pues hasta luego, Jonathan, nos vemos.

—Sí... ¡hasta pronto entonces!

Aún un poco confusa por lo que acababa de averiguar por la conversación entre ambos, Sarah se quitó el abrigo y lo colgó sobre el respaldo de la silla. Jonathan parecía tan solícito y atento... Y eso que lo que en realidad quería era estar con ella.

Aunque Sarah no había descubierto nada que no supiera ya, no le gustaba que ambos hablasen sobre Dustin y ella. Pero ahora no podía dejar que se le notase. Además, también ella había estado hablando con Jonathan sobre May.

Sarah se sentó y May sirvió té en dos tazas.

—Ya tienes mucho mejor aspecto —observó Sarah y bebió un trago. El té era dulce y afrutado, y sintió cómo se extendía un agradable calor por su interior.

De hecho, May parecía algo más recuperada que el día anterior. Unos *jeans* y un suéter sustituían el pijama, y se había peinado. Sus mechones lucían la vitalidad perdida y ya no estaba tan pálida.

Ahora que Sarah sabía lo que May había pasado después de la muerte de Simon, observaba a la muchacha con cierta admiración. Ella sabía lo que significaba perder a un ser querido; a alguien que dejaba un agujero negro tan profundo, que cada día se corría el riesgo de querer precipitarse en él para no seguir sintiendo esa dolorosa pérdida.

Sarah cerró los ojos un instante. Había sido Dustin quien había logrado que se aferrase de nuevo a la vida. Precisamente él, que ya no llevaba dentro vestigio alguno de vida humana.

Sarah miró con precaución a May, que iba bebiendo sorbos de su té, ensimismada. Esperaba de todo corazón que su amiga no hubiera cambiado de opinión y que continuase con su historia.

En la habitación reinaba un ambiente extraño. Si bien ambas muchachas tenían muy claro para qué se

113

habían reunido ese día, callaban. Era como si ninguna de las dos quisiera dar el primer paso de vuelta al verano de la Toscana. Pero justo cuando Sarah iba a abrir la boca para aludir al punto en el que se habían quedado el día anterior, May se le adelantó. Respiró hondo y comenzó a contar con voz tranquila...

—¿Y a qué has venido a Montebello? —preguntó Elizabeth. Le seguían temblando las rodillas de miedo y su corazón latía con furia.

El extraño se sorprendió y la miró entornando los ojos. Después formó con los labios una sonrisa pícara.

—¿Así que no eres de aquí? —repuso, con una pronunciación perecta y sin contestar su pregunta—. Tu manera de hablar este idioma suena casi como si vinieras de algún sitio de Inglaterra... y tampoco tienes apariencia de italiana, precisamente.

Elizabeth frunció el ceño y se enfadó en secreto por el hecho de que, después de más de un año, al parecer aún se notaba que era extranjera... y en una frase tan corta y banal. Las lenguas se habían convertido en el pasatiempo favorito de Elizabeth y eran el único bien valioso que sacaba de las estancias en el extranjero.

—Soy de Brighton —respondió en inglés. Sonó más arrogante de lo que pretendía.

—¿En serio? Conozco Brighton, es bonito. Mi madre era de Londres y mi padre de aquí, por eso crecí hablando ambas lenguas. Había una guerra silenciosa entre ellos para ver si yo aprendía antes inglés o italiano. A veces lo utilizaba con habilidad cuando quería algo concreto de alguno de los dos. Al menos cuando era pequeño. No recuerdo cuándo me descubrieron.

Elizabeth rió. Desde el primer momento el joven de gran estatura, cabello oscuro hasta la barbilla, ojos casi negros y labios finos le había resultado simpático... y atractivo. Apenas lograba apartar los ojos de él y tenía la sensación de conocerlo de algo. ¿Sería el hijo de algún socio de sus padres? No, se habría fijado en su cara... Quizá le recordaba a algún actor.

—Pero aún no me has dicho a qué has venido y por qué casi me matas del susto —Elizabeth retomó la cuestión—. Y aparte de eso, ni siquiera me has dicho cómo te llamas.

—¡Oh!, *pardon, mademoiselle*. Qué desconsiderado por mi parte no haberme presentado —bromeó el joven con exagerada cortesía—. Le ruego disculpe mi descuido. Me llamo Dustin, Dustin Redfield —dijo, tomando la mano de Elizabeth y haciendo ademán de besarla.

—Encantada —dijo Elizabeth imitando su tono—. Yo me llamo Elizabeth, Elizabeth Stone.

—Entonces ya hemos finiquitado el asunto de las presentaciones —comentó Dustin riendo—. Así que vamos a cosas más concretas: ¿tienes planes para esta noche?

Esta pregunta inesperada desconcertó a Elizabeth y notó cómo se ruborizaba. De hecho, detestaba que la sorprendieran de esta forma, y generalmente se ponía a la defensiva cuando alguien iniciaba tentativas de acercamiento. Pero con Dustin era, de algún modo, diferente. Si bien era cierto que su forma directa de hablar la sorprendió, no la intimidó. Al contrario; sus maneras desenfadadas le gustaban y la perspectiva de una cita con él le provocaba un agradable cosquilleo en el estómago. No debía, bajo ningún concepto, cometer un error y ofender a este joven de ensueño. ¡Ojalá no fuera tan inepta para el flirteo!

Elizabeth sacudió enérgicamente sus largos mechones rubios.

—No —dijo con decisión.

—¿No? —Dustin se hizo el ofendido y cruzó los brazos—. No acepto un «no» tan rotundo.

Elizabeth rió.

—¿Es que ha sonado a negativa? No lo pretendía. Lo que quería decir en realidad es que no, no tengo planes para esta noche...

—Bien, eso ya está mejor, con esta respuesta puedo vivir. Entonces te paso a recoger... ¿sobre las siete?

Elizabeth hizo un gesto afirmativo y observó cómo él bajaba por el camino de grava a zancadas.

—¿Dustin? —lo llamó antes de que desapareciera por el portón de hierro forjado.

Este se volvió con expresión interrogante.

—¿A qué venías exactamente?

Dustin sonrió.

—¡Ah!, nada en especial —respondió—. Solo quería ver cómo había cambiado todo en los últimos años. Yo nací en Montebello...

Dustin se limpió la tierra de las manos en el jersey. Agotado, se dejó caer en el suelo húmedo, justo al lado del lugar donde acababa de enterrar a su víctima. O mejor dicho, lo que quedaba de ella. Había realizado esta tarea sin sentir ni un atisbo del arrepentimiento que solía asaltarlo después de sus expediciones, sin dedicar ni un pensamiento a la criatura privada del líquido vital a causa de su acción, sin una palabra de agradecimiento. La insensibilidad regía el acto de sepultar los restos así como el hecho de haberla sorprendido en un momento de distracción; la había subyugado y asesinado.

Solo ahora que el día estaba avanzado volvía a recobrar el sentido, como si fuera desapareciendo el velo neblinoso que cubría sus ojos y que, desde el día anterior, parecía aislarlo del mundo de los humanos, transmitiéndole la sensación de que ya no formaba parte de él; que le había metido ideas horribles en la cabeza y lo había incitado a cometer horrores.

Era la primera vez que había cazado sin necesidad. No era el hambre su motivación, sino las ganas de matar. Lo recorrió un escalofrío. Esa voz dentro de él lo había impulsado a hacerlo. Una voz creciente, cuya intensidad reforzaba el deseo de borrar los últimos miserables restos de sus sentimientos, en los que en cualquier caso ya no confiaba y que no le aportaban más que dolor.

«Quizá sea mejor pasarse del todo al lado oscuro», pensaba. «Quizá sea el único camino honesto, el único posible: dejar de sentir, no volver a tener que contenerse y tomar lo que uno quiera. Sin miramientos.»

Dustin había sentido cómo crecía el anhelo de resignarse y no volver a resistirse frente a la atracción de lo definitivo. Sangre humana, cálida, roja, dulce... En su carrera hacia el límite del bosque, obsesionado con esta idea, había cedido el control sobre sí mismo y su cuerpo al deseo interior, hasta... hasta el infortunado encuentro con esa muchacha que iba haciendo *footing*. Su grito al sobresaltarse mientras se quitaba los auriculares de su iPod, permanecía en la memoria de Dustin quien volvía a ver ante sí lo ocurrido como si se tratase de una película.

Sarah se había propuesto firmemente no interrumpir a May, pero en ese momento se le escapó:

—¿Dustin te preguntó así, sin más? ¿Te pidió una cita de forma espontánea?

May se sobresaltó.

—Sí —dijo con una leve irritación y bebió un sorbo del té, que ya estaba frío—. Sí, me la pidió. ¿Por qué no iba a hacerlo?

—Yo pensaba, es solo que... —Sarah no acabó la frase. Notaba cómo el corazón se le encogía y empezaba a latir con fuerza cuando volvía a imaginarse la escena junto a la piscina. Había conocido una versión completamente distinta de Dustin... ensimismado, distante. Incluso con ella. Había sido ella la que lo había forzado a abrirse cuando lo había seguido al bosque. Probablemente él nunca habría hecho intento alguno de acercarse a Sarah. ¿Por qué entonces con Elizabeth? ¿La había encontrado más interesante? ¿Se había enamorado desde el primer instante?

La respiración de Sarah se había acelerado y le temblaba la mano al servirse más té. «Ahora cálmate», se reprendió, «al fin y al cabo, él mismo te explicó los motivos de su actitud reservada: con el paso del tiempo se ha vuelto más precavido y por eso te ha mantenido a distancia, porque no quería que te involucrases en este asunto y acabase siendo tu ruina».

Sarah bebió un sorbo de té. A pesar del recuerdo de las palabras de Dustin, notaba cómo la imagen del muchacho flirteando con May —o Elizabeth— no le gustaba lo más mínimo.

May le dirigió una mirada escrutadora.

—Aún podemos parar, Sarah —dijo con serenidad—. Ya te dije que no sería fácil. Esto es lo que a menudo pasa con la verdad. Pero te puedo asegurar que eso no ha sido nada. Así que, piénsatelo bien...

Sarah miró a May a los ojos y tragó saliva. Se sentía descubierta en sus pensamientos. De hecho, temía que el relato de May la convirtiese en alguien fácilmente intercambiable. Tenía miedo de descubrir que era una pieza sin importancia y secundaria en la vida de Dustin, como una pequeña e insignificante chispa. Y eso que ella había pensado que el vínculo invisible establecido entre ella y Dustin era algo especial... único. Pero quizá se había equivocado. Podía ser que él lo viera de una forma distinta por completo. Quizá había ya sentido muchas veces un vínculo semejante con una muchacha... Con Elizabeth y con Clara...

Pero aun así... tenía que averiguar lo sucedido. La incertidumbre la destrozaría más que la verdad.

Sarah negó enérgicamente con la cabeza.

—No quiero que te detengas —dijo con determinación—. Y sobre todo, no quiero que calles o modifiques nada para protegerme.

May vaciló un instante, después asintió.

—De acuerdo —dijo—, como quieras. —Después añadió con suavidad —¿Sabes? Dustin era muy diferente por entonces, Sarah. Aún no dominaba demasiado bien las argucias de su destino. No era el mismo que conociste hace un par de semanas.

Sarah sintió una punzada en el pecho. Probablemente sin querer, May se estaba refiriendo a lo que más la preocupaba desde su conversación de la noche anterior con Jonathan. Respiró hondo y notó cómo su cuerpo se tensaba y su corazón volvía a acelerarse.

—May, ¿a qué te refieres con exactitud cuando hablas de «entonces»? —preguntó con voz temblorosa—. Suena como si os conocieseis desde hace muchísimo, pero... no puede hacer tanto tiempo de eso. Al fin y al cabo, tú... tú tenías casi dieciséis cuando lo conociste, ¿no? —Sarah miró a May con inseguridad, abrió la boca e hizo ademán de decir algo un par de veces. Después bajó la vista.

—Sí —susurró al fin—. Sí, es verdad, la primera vez que vi a Dustin fue tres meses antes de cumplir los dieciséis —May, ensimismada, se enrollaba con el dedo índice un mechón de pelo y dudaba antes de continuar. También a ella se le quebraba la voz—. Pero.... no hace tan poco que nos conocemos.

Sarah tenía la garganta seca. El tictac del reloj de la pared sonaba desagradable, fuerte y molesto, dejando clara la inexorabilidad con la que pasaban los segundos.

—¿Cuándo entonces? —dijo al fin entre dientes, con gran esfuerzo.

May alzó la mirada. Sus ojos reflejaban dolor.

—Hace veintidós años.

—Pero oye, ¿estás loco? ¿Por qué me asustas así? ¡Casi me muero!

El pecho de la muchacha sube y baja y su respiración se nota acelerada y ruidosa por el esfuerzo. Luce en la frente pequeñas gotas de sudor que parecen diminutos diamantes resplandecientes. Es bonita, tan vital, tan llena de energía. Lleva una sudadera con capucha, pero su cuello y el comienzo de su clavícula quedan al aire. Los delicados tendones bajo la piel clara y transparente se mueven juguetones con cada respiración, como si quisieran llamar la atención, excitarme. Veo el pulso en sus venas, oigo el murmullo de la sangre dentro de ellas. Todo su cuerpo está recorrido por estas delicadas fuentes de vida. Estoy a punto de dar un paso hacia ella como obedeciendo una orden, extiendo mi mano en su dirección siguiendo un anhelo interior, voy a abrir los labios...

De pronto se echa a reír, me toma la mano y le da unas palmaditas.

—Ya está, ahora no me mires con esa cara, pareces más asustado tú que yo. Y tu pelo... vas tan despeinado. — Apenas puede contener la risa y me quita un par de pequeñas ramas del pelo—. También me ha pasado alguna vez lo de perderme mientras corría —dice entre risas—. Sin que te des cuenta desaparecen los caminos. La última vez acabé saliendo otra vez por ahí. —Señala hacia un punto del bosque delante de ella—. ¿Corres por aquí a menudo? —Me mira expectante con sus ojos risueños. Unos ojos marrones y alegres... Me recuerdan los de Sarah. Los ojos de Sarah también brillan así cuando está despreocupada. Aunque no suele estarlo, generalmente permanece seria y ensimismada. Pero no debería estar siempre triste, sus ojos deberían brillar y resplandecer permanentemente, como los de esta muchacha.

Sacudo la cabeza como respuesta a su pregunta. Me desconcierta con su risa y esa mirada...

—Pues es una pena... —Me guiña el ojo y sigue co-
rriendo. La veo alejarse, noto cómo me mareo y el suelo se
tambalea bajo mis pies. Se vuelve otra vez y se despide con
la mano, sus ojos relucen a la luz de una farola. Los ojos
de Sarah...

«Ha estado a punto de lograrlo», pensaba Dustin furioso cuando se acordaba de la noche anterior. «Esa
voz estuvo a punto de lograr que sucumbiera y me dejara arrastrar a su lado por completo. Ha esperado un
buen momento para atacarme. Es lista. Y sin embargo...
no ha funcionado. Todavía no.»

Dustin se frotó las sienes. La muchacha... hubiera
sido una víctima tan fácil. Al reír había echado la
cabeza hacia atrás, ofreciéndole con total inocencia su
delicado cuello. Pero después... Precisamente esa risa y
la mirada en sus ojos habían acallado la apremiante voz
de su interior durante un breve instante. La muchacha,
sin saberlo, había salvado su propia vida y la de él, Dustin, dándole un portazo en las narices que evitaba su
caída en la oscuridad eterna. Pero apenas la joven había
desaparecido de su vista, la voz había vuelto a susurrarle
provocadora, a censurarle su vacilación y a llevarlo de
nuevo por su camino. Antes de que esta ganase en

fuerza y poder, Dustin había vuelto corriendo al bosque —ciego y sin miramientos—, para cazar, buscando un sustituto con que alimentar a la voz que lo atormentaba. Debía ser una víctima imponente, una víctima gratuita. Hasta que, inopinadamente, apareció ante él, la figura noble, solemne, de un gran ciervo adulto, soberbio y majestuoso. Dustin se lanzó sobre él iniciando la lucha, midiendo ambos sus fuerzas, poniendo en juego sus músculos y sus armas... Dustin había vencido. Al inclinarse sobre el cuerpo agonizante del animal, habían cruzado sus miradas y Dustin pudo leer en los ojos mortecinos de su víctima la pregunta muda del contrincante: «¿Por qué? No tenías derecho a hacerlo, no necesitabas mi vida». Pero Dustin no quería sentir vergüenza ni compasión. Y sus dientes habían mordido, hundiéndose una y otra vez en el cuerpo inerte, desgarrando su carne y el triunfo del más fuerte había extasiado el cuerpo y los sentidos de Dustin...

Sintió cómo aumentaba el cansancio. Se levantó del suelo y contempló la tumba de su víctima. Nada permitía adivinar ya la lucha, la crueldad ni la muerte.

Ensimismado, se encaminó hacia su cabaña junto a la antigua cantera. «Sarah», pensaba, «Sarah, si supieras lo que he pasado esta última noche. Nada deseo con más fuerza que tu felicidad. Pero no te dejes guiar por falsos sentimientos. Cuídate de un amor imaginario, de un amor supuesto. A menudo un amor así se transforma en odio y trae consigo una terrible infelicidad. Lo sé, lo he vivido en mis propias carnes, por aquel entonces en Montebello...»

Sarah tragó saliva. Su boca estaba reseca y su corazón golpeaba con fuerza en su pecho, como si quisiera librarse de su jaula.

«Veintidós años», retumbaba sin cesar en su cabeza, ¡veintidós años!

—Pero... ¿cómo es eso posible? —murmuró con voz ahogada. Su voz resonaba inquietante en su mente, como un eco.

May no contestó, sino que miró a Sarah casi con pena, como queriendo decir: «Ya sabes lo que significa, Sarah. No tengo que explicártelo, ¿verdad? Deberías haberte dado cuenta hace tiempo, deberías haberlo descubierto sola después de todo lo que ya sabes...».

Sarah se cubrió la cara con las manos y sacudió la cabeza. Lentamente, muy lentamente, la comprensión se fue abriendo paso en su interior. May (Elizabeth)... era una de ellos. Era como Dustin: no tenía diecisiete, tampoco dieciocho años. Era mayor, mucho mayor, él la había convertido en inmortal. Su creencia compartida de que se amaban no había funcionado; su amor no había sido lo bastante fuerte.

En los pensamientos de Sarah reinaba un caos absoluto. Todo le daba vueltas. Su respiración se hacía rápida e irregular y tenía la impresión de que le faltaba el aire para respirar.

—Sarah, yo... —May le puso la mano en el brazo y parecía buscar palabras tranquilizadoras, pero Sarah estaba al límite. Hizo un ademán de rechazo. Era demasiado. Ya no aguantaba encerrada en esa habitación, solo quería salir, no quería oír nada más.

Era mucha información para procesar de una sola vez; mientras le daba vueltas en su cabeza, no podía evitar reírse de su credulidad e ingenuidad: «Deberías haberte dado cuenta hace tiempo, fuiste demasiado tonta y estabas ciega».

Sarah apartó la mano de May de su brazo, se levantó de un salto de su silla, agarró su abrigo y se precipitó hacia la puerta.

—¡Sarah! ¡Sarah, por favor, espera! Aún no sabes lo que pasó en realidad...

May la siguió aún unos metros. Sarah oía cómo su voz resonaba en el pasillo, pero no se volvió. Corrió escaleras abajo y, mientras lo hacía, le daba la impresión de que los peldaños salían a su encuentro. Perdió la orientación, tropezó en el penúltimo escalón y cayó... en los brazos de Jonathan. Lo miró durante un breve instante a los ojos con desesperación, después ocultó la cabeza en su pecho y se apretó a él sollozando.

—Sarah, ¿qué...?

Sarah dejó escapar un grito gutural, que hizo callar a Jonathan al instante. Se limitó a rodearla con los brazos y estrecharla con fuerza, allí, en mitad de la escalera. Le acarició la espalda y esperó a que se calmase un poco. No le pidió ninguna explicación, no le hizo ninguna pregunta. Era como si supiera, sin que mediara ninguna aclaración, que ella no necesitaba otra cosa que un breve momento de sosiego en un hombro amigo.

El bello rostro de ella se acerca al de él, centímetro a centímetro. Sus ojos están cerrados, la boca ligeramente abierta. Jonathan sonríe seguro de su victoria. Sabe lo que quiere y lo consigue. Van a besarse, enseguida van a besarse. Quiero intervenir, pero no puedo moverme, mis piernas parecen clavadas al suelo. Así que abro la boca y grito tan fuerte como puedo.

—No lo hagas, Sarah, por favor, por favor, no lo hagas... No con él... ¡Te hará infeliz! ¡Sarah...!

—¡Sarah, no lo hagas! ¡Sarah! —Dustin se despertó gritando. Se incorporó respirando con dificultad. De nuevo se habían infiltrado en su cabeza las horribles imágenes de Jonathan y Sarah, que le mostraban con toda claridad lo cerca que habían estado, cómo se habían sonreído y abrazado. Como una pareja de enamorados. Dustin se frotó los ojos, aturdido. Debía de haberse quedado dormido por el agotamiento. Eso no podía pasar, tenía que permanecer siempre en guardia, en especial por las noches. Debía averiguar dónde se escondía ELLA y de dónde procedían aquellos disparos. Debería haber emprendido la búsqueda bastante antes.

Un extraño chirriar captó su atención. Saltó con agilidad de su catre y echó un rápido vistazo a su alrededor. Nada se movía, todo permanecía en calma. Una calma inquietante. De pronto los ojos de Dustin se abrieron desorbitados. Con lentitud, paso a paso, se acercó a la única ventana existente en la pequeña cabaña de madera. Era muy pronto y todavía estaba un poco oscuro, pero la luna brillaba tanto que las mugrientas letras rojas como la sangre, dibujadas sobre la ventana, destacaban claramente sobre la gruesa capa de polvo, resplandeciendo fantasmales y húmedas. Eran solo cinco letras: SARAH.

Dustin se quedó petrificado, sin capacidad para reaccionar. Luego se precipitó fuera de la cabaña y corrió alrededor de la ruinosa construcción. Tenía todos los músculos en tensión y apretaba los puños.

—¿Qué significa esto? —gritó—. ¿Qué significa ese nombre? ¿Quién es esa, quién es Sarah? —Dustin daba vueltas en círculo, lanzaba sus gritos en todas direcciones—. ¿Dónde estás? ¡Muéstrate de una vez! ¿Qué ganas con seguir acechándome? ¡Ya tienes lo que querías! Me has quitado lo que más me importaba... Anna... tú... ¡tú me has quitado a Anna!

Dustin sentía que ELLA estaba cerca. Sabía que lo estaba escuchando. No podía permitirse ningún error, debía proceder con frialdad, de forma estratégica.

—Una vez me dijiste que ya no creías en el amor, ¿te acuerdas? —gritó.

No hubo respuesta.

—A mí me pasa lo mismo. Desde la muerte de Anna pienso como tú —continuó—. Renunciaré al amor... ¡y a la esperanza de salvación! Nadie podrá nunca reemplazar a Anna... ¿me oyes? Me persigues en vano. ¡Tus planes son inútiles! Búscate otra víctima, a mí ya no me puedes quitar nada más —oyó que alguien decía en la oscuridad. Una repentina ráfaga de viento agitó los árboles del bosque produciendo un murmullo. La temperatura bajó.

Dustin no sabía si eran solo imaginaciones fruto de su desesperación, pero le pareció oír una risa áspera en la lejanía. Era una risa que transmitía confianza y auguraba desgracias.

Capítulo 1

Cuando el sábado por la mañana llamaron a la puerta, Sarah aún estaba en la cama. Era del todo insólito que hubiera dormido tan bien y sin despertarse, a diferencia de las noches anteriores, que habían estado llenas de sueños confusos e imágenes. Probablemente incluso su subconsciente seguía demasiado agotado como para engañarla. Además, su breve encuentro con Jonathan le había sentado tan bien como para recobrarse en gran medida de la agitación sufrida tras la conversación con May. Además, Sarah había disfrutado después de una agradable velada con su madre, como hacía tiempo que no tenían, y sin mencionar la escena en el aparcamiento del supermercado, lo que había representado un alivio considerable. Después de haber charlado sobre asuntos sin importancia y haber cocinado y comido juntas, habían visto una comedia romántica típica en la que desde el principio era evidente cuál sería el final. A una secretaria sencilla que usa moño y viste un traje gris, la engaña su novio repelente; de la noche a la mañana se le ocurre una idea genial sobre un negocio que la convierte en una mujer de carrera, *sexy* y exitosa, que consigue una relación estable con su nuevo compañero, un hombre atractivo en extremo e inteligente, que al principio le parecía tonto y mediocre.

«Ojalá siempre fuera así», pensó Sarah, mientras se cubría la cabeza con la manta. No le apetecía nada empezar el día, y de lo que más le ganas tenía era de volver a echar una cabezadita en ese mundo crepuscular e intacto de tranquilidad e inconsciencia. Sin recuerdos ni penosos rompecabezas, sin dolorosas punzadas en el pecho...

Desde debajo de la manta Sarah oyó a lo lejos la alegre voz de su madre, seguida del rumor de sus pasos que subían los escalones hasta su habitación. Llamaron.

—¿Sarah?

Ella sacó la nariz de debajo de la manta y reconoció con ojos somnolientos la silueta borrosa de su madre, que la observaba a través de un pequeño resquicio de la puerta.

—¿Qué pasa? —gruñó Sarah.

—Tienes visita, cariño. May está aquí. Os subo un café con leche, ¿te parece bien? Por desgracia tengo que salir ahora mismo hacia el hospital para el servicio dominical. De lo contrario me hubiera encantado invitaros a comer. Pero bueno, disfrutad del día vosotras dos, luce un sol espléndido. May, entra sin miedo. Espero que la próxima vez tengamos algo más de tiempo para conocernos...

Sarah suspiró. Típico de su madre. Y eso que sabía de sobra cómo detestaba Sarah que la pillaran por sorpresa. Por otro lado, ella no podía adivinar que precisamente hoy Sarah hubiera necesitado a toda costa mantener un poco de distancia con May.

Ahora que May, cohibida, estaba delante de su cama, Sarah notó cómo la relajación desaparecía como por encanto y daba paso a una extraña sensación de angustia. Hasta entonces había conservado la esperanza de encontrar en May a una buena amiga. Pero era un ser inmortal, sin corazón... y eso lo cambiaba todo. Sarah sintió un escalofrío al pensarlo y se le hizo un nudo en el estómago. De haber sido por May nunca habría descubierto ese secreto. Tragó saliva y la observó; aguardaba allí, pálida y bonita e inocente como siempre, con sus grandes ojos azules, llenos de dulzura. Unos ojos que habían aprendido a engañar a los demás. Sarah se volvió. No soportaba mirar aquellos ojos.

—¿Puedo sentarme? —preguntó May al fin con precaución y Sarah se encogió de hombros. May se sentó en la silla del escritorio de su amiga. No parecía saber muy bien cómo debía empezar.

—Yo... a ver, respecto a ayer... —May se aclaró la garganta e hizo chasquear los dedos, nerviosa—. Sé que ese punto te debe de haber impresionado bastante, Sarah. A veces, incluso yo me despierto por las noches y pienso que lo he soñado y que nada de eso pasó en realidad.

Sarah guardaba silencio. Se retorcía un mechón de pelo y seguía evitando mirar a May.

—Jonathan vino anoche a mi habitación —prosiguió May y a Sarah le pareció percibir un ligero tono de inseguridad en su voz—. Me dijo que te había visto en la escalera y que estabas bastante afectada. Y quería saber... en fin, de qué habíamos hablado.

Sarah se sobresaltó.

—¿Y? —preguntó, alzando por fin la mirada y dirigiéndola a May—. ¿Qué le respondiste?

—Le dije que habíamos tenido una pequeña discusión, nada grave. No obstante, parecía bastante intranquilo y me preguntó un par de veces más. No le contaste nada, ¿no? Vamos, me refiero a la historia de Dustin y mía... y en lo que me convertí en aquel momento...

Sarah frunció el ceño y después negó con la cabeza.

—No, por supuesto que no le conté nada de eso. ¿Acaso piensas que se creería una historia tan absurda? Aunque, si te digo la verdad, me pregunto no obstante cuánto sabe Jonathan sobre ti. Tras esas extrañas alusiones de estos últimos días tengo la impresión de que conoce todo tu pasado —Sarah reflexionó sobre si debería hablarle o no a May de la historia que le había contado Jonathan... sobre Simon y su horrible muerte en Chicago. Pero después se lo pensó mejor. Jonathan le había pedido que guardase silencio. Y en ese momento era el único en el que Sarah podía confiar. No se permitiría decepcionarlo.

May negó con la cabeza.

—No. Es cierto que Jonathan sabe algunas cosas sobre mí, pero nada sobre mi pasado con Dustin ni acerca de lo que me hizo —dijo May—. Querría evitar a toda cosa que se enterase, ¿lo entiendes? Jonathan me ayudó mucho cuando estaba mal. Le estoy muy agradecida. Pero... entró en mi vida cuando la historia con Dustin quedaba ya muy atrás. No entendería lo que sucedió con él. Como mucho se asustaría y eso destrozaría toda su concepción del mundo. ¿Comprendes por qué nadie debería saberlo si no es absolutamente necesario? La historia de la inmortalidad y de la salvación a través del verdadero amor suena como una película romántica de Hollywood, pero es cierta y no hay ningún final feliz. Hace que algunas personas actúen de manera calculada, o que hagan cosas de las que quizá se arrepientan muy pronto. Cuantas menos personas entren en contacto con esta realidad, mejor. No es buena, destroza vidas, vidas valiosas. Y puede avivar un odio infinito y ocasionar situaciones aún peores. Lo sé, lo he vivido en mis propias carnes —May le lanzó una mirada escrutadora.

Sarah había escuchado con atención y asintió de forma imperceptible.

—Sí, lo entiendo... en cierto modo —dijo con voz queda. De hecho, su rencor iba extinguiéndose lentamente. Al fin y al cabo, ella misma notaba lo mucho que toda esa historia la conmovía y agobiaba. Habían cambiado tantas cosas... ¿Qué pasaría si lo fueran averiguando más y más personas? Sarah sintió un escalofrío cuando se imaginó la magnitud de las consecuencias.

Pero aunque ya entendía por qué May no le había querido contar nada de su cualidad de inmortal, algo seguía provocándole dolores de estómago. Y sabía exactamente qué era. Seguía sin aceptar que May hubiera desempeñado un papel tan importante para Dustin. Hasta ahora había dado por hecho que a los dos les unía algo muy especial, un vínculo fuerte y poderoso. Pero ¿quién le garantizaba que los sentimientos entre Dustin y Elizabeth no habían sido más fuertes e intensos, aunque su amor no hubiera conseguido romper la maldición de la inmortalidad? ¿Y qué papel desempeñaba ella, Sarah, en toda esa historia? ¿Qué importancia tenía ella y cómo era de fuerte su amor por Dustin y viceversa?

De pronto, la puerta se abrió de golpe y la madre de Sarah entró en la habitación. Hacía equilibrios con una bandeja con dos tazas de café llenas hasta el borde y un plato con galletas.

—Así pues, queridas, pasadlo bien —dijo de buen humor mientras depositaba la bandeja en la mesita de noche de Sarah—. Pero Sarah, ¿es que vas a pasarte el día en la cama y hablar con May en pijama? Ya es casi mediodía, deberías ir levantándote, la verdad. —Descorrió las cortinas enérgicamente y abrió una de las ventanas—. Yo ya me voy... Sarah, acuérdate de que hoy he quedado con mis compañeras del trabajo, así que puede que llegue tarde.

—Muy bien, mamá. —Al oír las palabras de su madre el corazón de Sarah dio un vuelco de agitación, ya que le recordaron su plan de ir esa tarde al bosque para buscar a Dustin. Laura Eastwood se despidió otra vez de ellas agitando la mano y desapareció por la puerta tarareando una melodía.

Sarah entornó los ojos cuando los luminosos rayos de sol penetraron en la habitación y la cegaron. Se subió la manta un poco más arriba.

—Tu madre es un verdadero encanto —dijo May en un tono melancólico y tomó una taza de la bandeja.

Sarah puso los ojos en blanco.

—Bueno, a veces habla demasiado alto y es demasiado... maternal.

Las dos muchachas sonrieron y Sarah volvió a relajarse un poco. No podía reprocharle a May que se hubiera enamorado de Dustin tiempo atrás. Era injusto sentir celos por algo sucedido en una época en la que ella ni siquiera había nacido.

—Siento que nuestra amistad tuviera que pasar por todo esto —dijo May, mientras elegía una galleta—. Tenía la esperanza de que si te mantenía alejada de Dustin todo volvería a su cauce.

Sarah miró a May con seriedad.

—Ya, a veces no sale bien jugar con el destino.

Durante un momento ambas guardaron silencio. Entonces a Sarah la asaltó una idea:

—May, imagínate que Dustin no hubiera venido a nuestro instituto. Entonces, no me habrías contado nunca tu secreto, ¿verdad?

May negó con la cabeza, vacilando.

—No, probablemente no.

—Pero en algún momento me habría dado cuenta de que algo raro pasaba contigo. Tú no envejecerías, podrías mantener tu secreto como mucho tres o cuatro años. ¿Y después? ¿Habrías desaparecido sin más? ¿Habrías cortado el contacto conmigo sin ninguna explicación? Eso hubiera sido... ¡injusto!

May sonrió.

—Sacas buenas conclusiones, Sarah —dijo con reconocimiento—. De hecho, una amistad verdadera y duradera entre un ser inmortal y un humano que no conozca el secreto es casi imposible. —May bebió un sorbo de café antes de continuar—. Pero ayer te largaste de forma demasiado repentina. A mí aún me quedaba mucho por contar.

«Simon», se le pasó a Sarah por la cabeza, «seguro que se refiere a Simon».

—Por eso he venido. Ahora que he empezado, quiero contártelo todo —dijo May—. Después espero que entiendas por qué no me gusta Dustin y por qué creo que asesinó a Anna. —May pronunció las últimas palabras con dureza y Sarah tuvo que morderse los labios para no replicar nada. Esperaría primero a escuchar lo que May tenía que contar antes de comenzar de nuevo con sus torpes intentos de defender a Dustin.

—Está bien —dijo y miró a May expectante—. Te escucharé.

Poco después de las siete llamaron al timbre. Elizabeth lanzó una última mirada crítica al espejo. Teniendo en cuenta que no se arreglaba jamás para una cita, estaba bastante satisfecha con los resultados del maquillaje. Solo había renunciado al colorete.

Sus mejillas habían adquirido ya por sí solas un tono ligeramente rosado, como le pasaba siempre que se ponía nerviosa. Mientras bajaba los escalones, se preguntaba por enésima vez esa tarde por qué había aceptado una cita con alguien que apareció de la nada y que había hablado con ella tan solo un par de minutos. Pero cuando le abrió la puerta recordó por qué. Era guapísimo... aún más de lo que Elizabeth recordaba. Llevaba *jeans* azul oscuro y una camisa blanca, bajo la cual se le marcaban los músculos de los brazos. Se había engominado un poco el pelo por delante, donde más largo lo tenía, y le caían mechones oscuros sobre la frente con aparente descuido. Una ligera barba, junto con aquellos ojos oscuros, daban a su rostro un aspecto aún más misterioso.

La madre de Elizabeth salía justo de la sala de estar y examinó a Dustin con gesto de aprobación. Una vez terminada la breve ronda de presentaciones, les guiñó un ojo.

—¡Pasadlo bien!

Dustin se despidió con educación y condujo a Elizabeth hasta su vehículo, un brillante Porsche 911 negro, descapotable. Le abrió la puerta del copiloto con galantería para que subiera.

—Por favor.

Elizabeth no lograba ocultar su admiración. Ni siquiera su padre tenía un automóvil tan elegante y caro.

—¿Cómo puedes...? Quiero decir, ¿es tuyo o de tu padre?

Dustin rió, pero vaciló al responder.

—Digamos que lo heredé de mi abuelo —respondió al fin.

—No está nada mal —murmuró Elizabeth—. A mí también me encantaría tener uno, pero aún falta un poco. ¿Cuántos años tienes? ¿Dieciocho, diecinueve?

Dustin movió la cabeza de un lado a otro.

—Por ahí —respondió y encendió el motor. Bajaron por la larga carretera que zigzagueaba entre las colinas como si fuera una única gran serpiente. Una música suave acompañaba el ruido del motor y el murmullo del viento. No hablaron mucho, se limitaron a lanzarse un par de miradas furtivas. No obstante, Elizabeth se sentía cómoda. El silencio no le resultaba desagradable, al contrario, la calmaba, le inspiraba confianza. Cerró los ojos y disfrutó del templado viento estival, que le rozaba la piel y el cabello como si unas manos la acariciasen. Elizabeth no se reincorporó hasta que se empezaron a oír los ruidos de la ciudad.

Después de aparcar, Dustin le tendió la mano. Elizabeth dudó un instante, pero después la tomó con el corazón palpitante. Cuando sus dedos se rozaron se estremeció como si la hubiera atravesado un rayo breve y casi doloroso, dejando sin embargo un rastro dulce y un delicado hormigueo. Elizabeth miró asustada a Dustin. En ese momento presintió por primera vez que ese muchacho provocaría algo en ella cuyas dimensiones aún no era capaz de calcular. En su interior surgió un atisbo de miedo y por la cabeza le pasó la idea de que quizá sería mejor dar marcha atrás antes de dejar que esto empezase de verdad. Pero ese temor duró solo un instante. La siguiente sonrisa de Dustin hizo que todos sus miedos desapareciesen y dio paso a un indescriptible sentimiento de felicidad.

Mientras deambulaban por Florencia con las manos entrelazadas, Elizabeth perdió la noción del tiempo. Dustin le mostraba callejuelas, plazas, fuentes y edificios que ella no había visto antes, y para todos tenía una historia.

—¿Y dónde estamos ahora? —preguntó Elizabeth cuando entraron en una preciosa plaza con señoriales fachadas. Contemplaba impresionada la enorme cúpula que se alzaba hasta el cielo ante ellos.

Dustin soltó una carcajada sorprendido.

—¡No me digas que aún no habías venido a la plaza del Duomo! ¿Cuánto tiempo hace que vives en Montebello?

Elizabeth puso los ojos en blanco.

—Sí, sí, ya lo sé, debería haber venido a Florencia mucho más a menudo. Lo que pasa es que aquí apenas tengo amigos, y visitar la ciudad sola...

Dustin asintió.

—Pues bien, ahora me tienes a mí. Yo ya conozco la ciudad al dedillo. Trabajo en la Galería de los Uffizi y allí uno se entera de muchas cosas.

—¿Además de tus estudios? —Elizabeth estaba un poco confusa. Antes Dustin le había contado que estudiaba historia del arte.

—No, me estoy tomando un par de semestres sabáticos. Y en mi trabajo aprendo mucho más sobre historia del arte y de la arquitectura que en el aula. Y de paso también sobre las personas...

—¿Y tus padres? ¿Les parece bien? Quiero decir, que lo hagas así.

—Mmm..., ni idea —dijo Dustin pensativo—. Creo que mi padre lo entendería, y mi madre... Probablemente se preocuparía y pensaría que su hijo nunca hará nada de provecho —dijo, esbozando una sonrisa.

—¿Cómo que «entendería»? —Elizabeth se había detenido—. ¿Es que no viven ya? —preguntó en voz baja.

Dustin negó con la cabeza.

—No, ambos están muertos. Hace ya unos años.

—Lo... lo siento mucho. ¿Qué tal lo llevas? —preguntó, mientras seguían deambulando por la plaza.

—Con el tiempo he ido aceptándolo. La vida tiene que continuar... —Dustin rió—. Pero dejemos de hablar de eso. Vamos, ven —dijo, llevándose a Elizabeth a una pequeña callejuela lateral que partía de la plaza y deteniéndose ante un gran edificio antiguo—. Vivo aquí —dijo él, señalando hacia arriba—. ¿Lo ves? Ahí arriba, donde está el pequeño balcón. ¿Te enseño la casa?

—¡Sí, por favor! —Elizabeth apenas logró ocultar su curiosidad. Subió detrás de Dustin los brillantes peldaños de mármol. Una vez arriba, este abrió la puerta de su casa y la hizo pasar. Lo que allí vio superó todas sus expectativas: muebles de caoba, un enorme espejo con marco de oro, un sofá con tapicería de gobelino y sillas a juego... Esta no era la habitación de un estudiante sin dinero. ¡Y eso por no hablar de la ubicación! Elizabeth abrió la puerta del pequeño balcón. De inmediato les llegó el vocerío de la plaza.

—La vista es increíble —susurró—. Pero ¿cómo puedes permitirte algo así? La casa debe de ser carísima.

Dustin sonrió.

—Pertenecía a mi familia. De hecho, al principio eran dueños de todo el edificio... Pero este apartamento me lo quedé para mí. Mi abuelo se alojaba aquí cuando tenía que quedarse mucho tiempo en la ciudad a causa de su trabajo.

—¿A qué se dedicaba?

—Mis padres y mi abuelo eran gente de negocios, como los tuyos —le contó.

—¿En serio? Quizá se conozcan... perdona; se conocieran, quería decir.

Dustin negó con la cabeza.

—No lo creo. ¿Sabes? —dijo con seriedad— No me gusta mucho hablar sobre el pasado.

—¡Oh!, lo entiendo, perdona —Elizabeth se sintió avergonzada por su pesado interrogatorio.

—¿Te apetecería un café?

Elizabeth asintió.

—Me encantaría.

Un poco más tarde estaban sentados en el pequeño balcón de Dustin, tomando un *espresso* y observando a los transeúntes de la plaza iluminada. Se divertían inventándose historias sobre la gente.

—Esta mujer emperifollada de ahí, con ese extraño peinado como en forma de cresta y con el perrito, seguro que trabaja en el departamento de bolsos de Valentino —afirmó Elizabeth con convicción y Dustin se echó a reír.

—Yo también lo creo. Y ahora mismo va camino del teatro o de la ópera, tiene un abono anual. Pero antes se encontrará con su mejor amiga para tomar un *limoncello* y de paso tendrá la oportunidad de presumir de su nuevo modelito —añadió.

—Nada mal —rió Elizabeth—. Ya veo que aprendes mucho sobre la gente en tu trabajo.

—Te lo dije.

—Y se llama... —Elizabeth reflexionó concentrada—. Se llama... Emilia Laurenti —dijo al fin.

—No... —Dustin soltó bruscamente la mano de Elizabeth y se levantó de un salto de la silla.

Elizabeth se sobresaltó. Estaba tan sorprendida por su inesperada reacción y su expresión sombría, que al principio no le salían las palabras. Dustin sacudió la cabeza y se pasó la mano por los ojos, como si tuviera que esforzarse para volver en sí. Elizabeth lo observaba con desazón.

—Dustin, ¿te pasa algo? —soltó al fin—. ¿He dicho algo malo?

Dustin sacudió de nuevo la cabeza y se volvió hace ella con una sonrisa forzada.

—No, es solo que... De pronto me ha venido a la memoria algo desagradable... por esa mujer de la plaza. Pero no ha sido nada. Siento haberte asustado.

Elizabeth le devolvió la sonrisa, aún un poco insegura. Le parecía como si una oscura sombra se hubiera deslizado por el pequeño balcón y hubiera dejado las huellas de sus fríos dedos sobre la cara de Dustin. Sintió un escalofrío y recordó la extraña sensación de hacía un rato.

—Bueno, va siendo hora de comer algo —dijo Dustin, relajando así el opresivo ambiente—. ¿Tienes hambre?

Elizabeth asintió aliviada.

—¡Ya lo creo!

Dustin llevó a Elizabeth a un pequeño restaurante de aspecto modesto a orillas del Arno. Comieron de lujo, conversaron y se miraron a los ojos en silencio.

A Elizabeth no solo le fascinaba Dustin por su buena planta, su rostro proporcionado, su cuerpo erguido y en buena forma y su voz profunda y tierna; a pesar de sus gestos desenfadados y divertidos, de él emanaba algo profundo, una cierta seriedad. Era diferente a todos los jóvenes que Elizabeth había conocido hasta entonces. Y aunque el sentimiento le resultaba nuevo por completo, creía que estaba a punto de enamorarse perdidamente de él.

—¿Y bien? ¿Volveremos a vernos? —preguntó Dustin sonriendo, cuando detuvo el Porsche a la entrada de la casa de Elizabeth.

Ella asintió.

—Cuando quieras —dijo suavemente. Sabía que ese era el momento en el que él la besaría... como en las películas. Para ser sincera, estaba deseándolo, aunque al mismo tiempo la asustara un poco. Miró a Dustin expectante y el pulso se le aceleró.

Pero él se limitó a inclinarse hacia ella y darle un suave beso en la mejilla. En un primer momento Elizabeth se sintió aliviada. Pero cuando bajó del vehículo la decepción se apoderó de ella. ¿Por qué era Dustin tan reservado? ¿Es que no se lo había pasado bien? ¿O era culpa de ella? ¿Se había comportado de manera demasiado distante y le había dado la impresión de que no quería que la besase? Y de pronto Elizabeth actuó sin darle más vueltas. Antes de que Dustin girase en la entrada, retrocedió encaminándose hacia el vehículo. Se inclinó hacia él y lo besó en la boca. Ni ella misma sabía de dónde había sacado el valor para hacerlo. Dustin la miró sorprendido, casi perplejo; parecía estar saboreando el beso que acababa de recibir. Después sonrió, le tomó la cara con ambas manos, la atrajo hacia sí y la volvió a besar.

Dustin caminaba nervioso de un lado para otro en su opresivo y sombrío escondite. SARAH - SARAH - SARAH... Las encarnadas letras centellaban una y otra vez como una señal de aviso en su mente, aunque había limpiado el vidrio con rabia hasta que no dejar más rastro que una mugrienta mancha.

Se reprochaba y se maldecía por haber estado tan ciego todo el tiempo. Se equivocaba al pensar que todo volvería a su cauce si se quedaba. Quería luchar contra ELLA. Dustin soltó una amarga carcajada. Como si ella fuera a aceptar un desafío semejante. Solo se había engañado a sí mismo. Si así lo hubiera querido, habría podido vencerlo a su manera hacía ya tiempo. Sabía que se escondía allí, lo tenía en su punto de mira. Pero no se iba a limitar a eliminarlo, tenía otros planes para él, más crueles...

Si Dustin quería de verdad que a Sarah no le pasase nada solo podía hacer una cosa: tenía que largarse y a toda velocidad.

ELLA había mantenido los ojos abiertos y sabía cuál era el único motivo por el que Dustin podría haberse quedado en Rapids en lugar de huir de allí como solía hacer... Tenía que haber una muchacha. Una muchacha que le importaba de verdad y que no se llamaba Anna. Había muerto la muchacha equivocada y ELLA se había dado cuenta del error al comprobar que él se había quedado. Dustin se pasó la mano por la frente. Tenía que apresurarse a partir, quizás así estaría aún a tiempo de distraerla. ELLA lo perseguiría, aunque fuera hasta el otro extremo del mundo y del tiempo, cosa que no le preocupaba. Lo importante era que se olvidase de Sarah, lo importante era que Sarah fuera feliz... aunque fuese junto a Jonathan. Quién sabe, quizá Jonathan era el mejor para ella y Dustin, en su egoísmo, se negaba a reconocerlo.

Tan solo el pensamiento de abandonar a Sarah sin ningún tipo de explicación y la posibilidad de no volver a verla le resultaban ya de por sí asuntos bastante duros, pero a Dustin no le quedaba otra salida. En ese punto no podía pensar en sí mismo. Esa misma noche, cuando oscureciera, se marcharía. Esperar más tiempo significaría para Sarah la muerte.

—¿Así que fue amor a primera vista? —preguntó Sarah con un deje de malicia cuando May hizo una pausa. Justo después se mordió los labios y se enfadó consigo misma por su estúpida reacción. Al fin y al cabo, se había propuesto no dejar entrever sus celos. Pero le resultaba más difícil de lo que creía no hacer caso de la desagradable sensación en su estómago y el doloroso palpitar de su corazón. Las imágenes que May había evocado con su relato carcomían su ego, y hería su orgullo que May y Dustin hubieran pasado juntos una época tan bonita. También ella se había enamorado de Dustin desde el primer momento, al mirar sus ojos oscuros en el salón de actos. Pero a diferencia del otro, en su encuentro planeaba desde el principio una sombra que lo empañaba. No había habido ni un momento libre de preocupaciones.

May movió la cabeza de un lado a otro.

—Sí, se le puede llamar amor a primera vista, pero quizá fue solo un enamoramiento ciego. No lo sé, por entonces aún no tenía ninguna experiencia. En cualquier caso, poco después de conocernos percibí los primeros indicios de que nuestra relación no sería fácil. Pero no quería verlo, solo quería seguir siendo feliz. Vaya, ¿qué hora es? —May miró sorprendida su reloj—. ¡Son ya las tres y media! Es increíble lo rápido que ha pasado el tiempo. Dentro de una hora me tengo que ir. He quedado en encontrarme después con Jonathan.

—¿Ah, sí? —preguntó Sarah perpleja. ¿Qué más cosas tendrían que hablar esos dos? Antes no se veían tan a menudo, o al menos no que Sarah supiera. Pero qué más daba, no le venía nada mal que May se tuviera que ir sobre las cuatro y media. Así podría adentrarse en el bosque sin llamar la atención. Al pensar en buscar a Dustin sola en el Canyon Forest la asaltaba de nuevo una sensación inquietante y opresiva. Antes, el bosque siempre le había inspirado confianza, iba a menudo a pasear por entre los árboles para despejarse un poco. Pero en ese momento, después de todo lo sucedido allí...

—¿Sigo contándote la historia? —preguntó May cuando advirtió la mirada ensimismada de Sarah— ¿O ya tienes suficiente por hoy? Puedo irme ya si lo prefieres y seguir otro día.

—No, quédate un poco más —respondió Sarah. No podía hacer nada contra el hecho de que May y Dustin hubieran sido pareja y, al fin y al cabo, había superado el primer beso. Tenía que saber lo que había pasado y cómo y cuándo el amor de May se había transformado en odio.

—Cuéntame cómo era Montebello antes de que llegase yo —dijo Elizabeth en una de las citas que siguieron.

Hacía ya un tiempo que se preguntaba desde cuándo Dustin vivía allí y en qué circunstancias. El hecho de que hubiera nacido en la localidad donde entonces vivía ella le producía el efecto de estar unida a él de un modo muy especial. Como si participase en un capítulo de su pasado. Pero resultaba extraño, porque aunque se habían visto ya algunas veces y siempre se lo habían pasado muy bien, Dustin mantenía una cierta distancia. Nunca respondía claramente a las preguntas de Elizabeth y cambiaba de conversación con suma maestría en cuanto ella entraba en el plano personal.

—¿Cuándo dejaste Montebello? ¿Hace poco? —insistía Elizabeth.

Dustin la miraba, abría la boca como si fuera a decir algo, pero después sacudía la cabeza y se ponía de pronto muy serio.

—Elizabeth, podría contarte ahora algo como: «Era precioso, tuve una infancia maravillosa, no me faltó de nada, hasta que nuestra familia se vio sorprendida por un trágico destino» —dijo él, mientras ella lo miraba con expresión interrogante—. Pero eso sería tan solo palabrería, así que, de momento, preferiría no hablar demasiado sobre mi pasado.

Dustin había adoptado un tono brusco, y a Elizabeth se le encogió el corazón.

—Lo... lo siento si he sido demasiado curiosa —balbuceó—. No pretendía recordarte nada doloroso, Dustin —Se le saltaron las lágrimas.

Dustin negó con un gesto.

—No, no, no es eso... No es culpa tuya. No eres demasiado curiosa, tus preguntas son completamente normales. —Le tomó la mano y la miró con sus ojos oscuros—. Es solo por mí, Elizabeth. Y por lo que he vivido. Créeme, mi pasado no se puede comparar ni de lejos con el de otras personas.

Elizabeth se estremeció y su mano comenzó a temblar bajo la de Dustin.

—No entiendo a qué te refieres —dijo con la voz quebrada.

—Nadie lo entendería, Elizabeth. También por eso suelo estar solo. Tengo conocidos y amigos superficiales, pero en cuanto una relación comienza a adquirir profundidad, la mayoría se aparta de mí porque me cierro en mí mismo, porque no les puedo contar nada más sobre mí... o porque prefiero no hacerlo. Pero te prometo una cosa: a ti te lo contaré todo cuando llegue el momento —prosiguió Dustin—. Pero antes tenemos que conocernos un poco mejor.

Elizabeth sacudió la cabeza.

—¿Y cómo lo haremos? —susurró—. ¿Cómo se pueden conocer mejor dos personas si una de ellas cuenta tan poco de sí misma?

Dustin le besó la mano.

—Por favor, Elizabeth, debes conocerme a partir del presente. Concéntrate en lo que ves y oyes de mí y analiza lo que sientes por mí. Haz como si no tuviera pasado, como si hubiera nacido aquí y ahora. ¿Crees que podrás?

Elizabeth lo miró en silencio durante un buen rato e intentó reprimir el vértigo de su cabeza para adivinar algo tras los ojos de Dustin. Pero solo veía una impenetrable oscuridad. Sin embargo, después se acordó de los últimos días, en los que en su compañía se había sentido mejor que nunca antes en su vida. Al fin respiró hondo y asintió.

—Por lo menos me gustaría intentarlo —dijo—, pero no te puedo asegurar que lo consiga ni, en ese caso, durante cuánto tiempo. Suena... tan complicado.

Dustin sonrió.

—Confía en mí —dijo—, no te decepcionaré. Antes de permitir que eso suceda prefiero desaparecer de tu vida. Te lo prometo.

Elizabeth se sobrecogió. Sus palabras sonaban muy cargadas de significado, como si estuviera poniendo en ese lugar y ese momento los cimientos del futuro de ambos. Se esforzaba por confiar en él, lo deseaba a toda costa.

Dustin y Elizabeth pasaron el resto del verano juntos. Reían, hacían el tonto, se besaban, hablaban y callaban, se peleaban por tonterías. Elizabeth se sentía más viva y despierta de lo que recordaba haber estado en toda su vida. Aprendió a confiar en alguien de quien no sabía nada más que lo que compartían. Su amor estaba tan libre de preocupaciones como solo lo puede estar un amor sin el peso del pasado, sin posibilidad de reproches respecto a lo que ya ha sido. Lo que pasaba les concernía solo a ellos dos. Elizabeth sabía que estaban construyéndose un mundo de fantasía, pero en cuanto se le colaban preguntas y dudas, las apartaba de su mente. Y al menos al principio, lo lograba. No quería renunciar a esa ausencia de preocupaciones entre ellos y sabía que no volvería a ser como hasta entonces si descubría más cosas sobre el muchacho de los ojos oscuros. A veces tenía incluso la impresión de que él solo existía desde el momento en que se conocieron, y que ella era la única testigo de su vida.

A pesar de sus buenos propósitos, tras unas semanas las preguntas fueron ganando en fuerza y exigencia en su mente. Ya no se dejaban apartar con tanta facilidad.

Elizabeth había llegado a un punto en el que cada vez especulaba con más frecuencia sobre quién sería Dustin y por qué callaba sobre su pasado. Y las historias que se imaginaba resultaban cada vez más novelescas. Su más reciente teoría era que Dustin había sido el amante secreto de una rica y bella mujer casada... como la elegante dama de la plaza que lo había sacado de quicio de forma repentina. Lo habría conocido en el museo, se habría enamorado de él y de sus oscuros ojos y se habría encontrado con él a escondidas. No obstante, al final, el marido celoso habría descubierto su relación y habrían tenido que separarse.

Esta historia nacida de su imaginación se había afianzado tanto en su mente que, en algún momento, Elizabeth comenzó a considerarla un hecho real. Se sorprendía una y otra vez vigilando con atención a Dustin durante sus paseos. Cada vez que se volvía para mirar algo o a alguien, ella sospechaba que quizá hubiera visto a esa mujer. Cuando parecía ausente, tenía la sensación de que pensaba en su gran amor del pasado. Elizabeth tenía que recordarse a sí misma cada vez, que estaba celosa de una persona producto de sus fantasías. Pero quizás esos delirios aparecían solo porque Dustin aumentaba su distanciamiento cada vez que Elizabeth le hacía claras señales de que deseaba acercarse más a él... que estaba lista para al fin acostarse con él. Nunca había tenido un novio estable antes y daba por hecho que sería ella la que necesitaría un poco de tiempo por su inexperiencia. Pero ocurrió justo lo contrario: hacía más de dos meses que estaban juntos, compartían cada minuto libre y Elizabeth notaba cómo su cuerpo anhelaba cada vez más unirse al de Dustin. Apenas lograba ya pensar en otra cosa. Pero Dustin no daba muestras en este sentido, la llevaba cada día puntualmente a casa y hacía oídos sordos cuando Elizabeth mencionaba de pasada que sus padres pasarían la noche fuera.

—Más tarde quiero enseñarte un pequeño local junto a la plaza Michelangelo —dijo Dustin durante un paseo a orillas del Arno una tarde de finales de verano. Habían bajado por el terraplén y ahora seguían un pequeño sendero que llevaba al río. No había nadie aparte de ellos. Reinaba la oscuridad tras la puesta del sol y todo a su alrededor estaba en calma. Solo se oía el suave murmullo del río y de los árboles de la ribera. Bajo ellos, el agua reflejaba la luna.

—Te gustará, no puede ser más romántico...

—Ajá, ¿y cómo sabes que es tan romántico? ¿Cuántas veladas románticas has pasado ya allí? —soltó con brusquedad a Elizabeth. Ella misma se sorprendió por su irritación.

Dustin y ella habían pasado una bonita jornada juntos y no tenía planeado iniciar una pelea.

Dustin la miró perplejo.

—¿He dicho algo que te haya molestado? —preguntó con cuidado.

Elizabeth se puso la mano en la frente y negó con la cabeza. Después le saltaron las lágrimas. Salían por sí solas y no era capaz de frenarlas.

—Lo siento mucho —sollozó y Dustin la tomó en sus brazos—. Ya sé que te prometí que lo intentaría, pero... pero ya no me basta con lo que vivimos juntos y lo que sabemos el uno del otro. Quiero saber quién eres y por qué eres como eres, lo que has vivido y cómo era tu familia. ¡No puedo ignorarlo todo por más tiempo, Dustin! —Elizabeth se soltó y se limpió las lágrimas con la manga de la blusa—. Creo que no podemos tener un futuro juntos, si no compartimos de una vez nuestro pasado. Es parte de nosotros, exactamente igual que el presente. Y además... además aún no nos hemos acostado y no es por mí. ¿Es que no te parezco lo bastante atractiva? ¿Es que aún piensas en otra mujer con la que preferirías estar? Necesito saberlo, Dustin...

Dustin soltó a Elizabeth con un profundo suspiro, le dio la espalda y miró al agua con expresión huraña y sombría.

—No, Elizabeth, no es eso. Todo esto es... mucho más complicado de lo que te puedas imaginar —dijo Dustin—. Necesitaría muchas palabras para lo que he callado hasta ahora y te pido que por favor tengas un poco más de paciencia. Cuando te haya contado toda la verdad, entonces tendremos que pasar a la acción, ¿entiendes? Entonces habremos llegado a un punto en el que nos tendremos que separar o aceptarnos el uno al otro para siempre. Ya no será posible un tiempo intermedio como el que estamos viviendo, Elizabeth. Y nos va muy bien como estamos ahora. ¿A qué viene tanta prisa? Permite que disfrutemos un poco más. Deja que tengamos una mayor certeza de que nos va bien juntos y de que estamos hechos el uno para el otro, más allá de este verano. —Se volvió hacia ella— Créeme, sé cómo te sientes. También yo desearía más, mucho más aún de lo que te puedas llegar a imaginar. Pero eso sería excesivo ahora mismo y te asustaría. Estoy convencido de que es demasiado pronto para la verdad. Por favor, dame un poco más de tiempo. Entonces te lo contaré todo sobre mí...

Elizabeth tenía la mirada clavada en Dustin y sacudía la cabeza con los ojos llorosos.

—¿Te das cuenta de lo que me pides y de lo disparatado que me resulta todo eso? —preguntó—. No entiendo nada de lo que dices. Nada. Y tampoco sé si puedo confiar en ti por mucho que lo desee. Yo...

Se interrumpió en mitad de la frase al oír un crujido detrás de ella. También Dustin se dio la vuelta.

—¿Qué ha sido eso? —susurró con los ojos desorbitados.

—No sé... quizá solo un animal. Una rata o algo así.

Dustin se puso el dedo índice en los labios para indicarle que guardara silencio. De pronto, algo se movió entre los árboles en la parte alta de la ribera y al instante Dustin se lanzó hacia arriba del terraplén, a una velocidad tan asombrosa que Elizabeth no había visto jamás a ninguna persona que pudiera alcanzarla. Los ojos de Dustin eran ya solo finas ranuras y sus músculos estaban tensos como los de una pantera antes de lanzarse sobre su presa. Se quedó inmóvil en su postura, sin moverse ni un milímetro. Mientras observaba a su novio, el pulso de Elizabeth se aceleró. Su extraña postura y la ferocidad de su mirada la asustaban. ¿Qué se proponía Dustin? ¿A qué estaba esperando? Y entonces, de nuevo, el crujido. Esta vez procedía de algún punto justo detrás de ella. Elizabeth se volvió con el corazón palpitante. Algo —o alguien— se desplazaba a velocidad vertiginosa hacia donde se encontraba. Sin embargo, antes de que pudiera llamar a Dustin, una figura grande y oscura, cubierta con una capa y una capucha negras, apareció delante de ella mientras que una mano surgió a la velocidad del rayo, agarrándola por el cuello.

—¡Duuuuustin! —La voz de Elizabeth se había vuelto estridente debido al pánico.

Una milésima de segundo después Dustin estaba junto a ella. Golpeó el costado del extraño con todas sus fuerzas para que soltase a Elizabeth. Dustin iba a abalanzarse de nuevo sobre la figura, cuando esta lo esquivó con tanta rapidez que Elizabeth no logró seguir sus movimientos con la vista. Era una lucha extraña. Una y otra vez aquel ser desaparecía antes de que Dustin pudiera atraparlo, para después volver a aparecer súbitamente en otro lugar. Dustin lo perseguía casi a la misma velocidad que el otro se movía, de forma que Elizabeth tenía la impresión de estar contemplando un vertiginoso juego de sombras. De pronto la figura se esfumó. Elizabeth miraba agitada a su alrededor, mientras Dustin aguardaba inmóvil en posición de ataque. Sus pupilas escrutaban en todas direcciones, pero a la figura fantasmal parecía habérsela tragado la tierra. Elizabeth distinguió de repente la indefinida silueta del extraño entre los árboles, sobre sus copas. Dos ojos grises, iluminados por la pálida luz de la luna, la observaban, inexpresivos. A Elizabeth se le cortó la respiración del susto. En ese momento sintió como si alguien le envolviera el corazón con una mano congelada y apretase. Pero esa vez, antes de que Dustin pudiera reaccionar, el intruso se había disuelto en la oscuridad con presteza y en silencio. Elizabeth y Dustin siguieron esperando un buen rato aguzando el oído, pero solo quedaba ya una calma sepulcral. La figura no volvió a aparecer. A Elizabeth le latía el corazón como un caballo desbocado cuando se precipitó sobre Dustin y lo abrazó.

—He pasado tanto miedo —sollozó—. ¿Has visto... has visto esos ojos? Eran tan fríos, tan grises y llenos de odio.

Dustin la estrechó con fuerza y le acarició la cabeza para calmarla.

—No te preocupes, Elizabeth. En definitiva no ha pasado nada.

—¿Y qué quería ese tipo de nosotros?

—Ni idea. Es muy probable que fuera solo un loco que buscaba dinero... Venga, vámonos de aquí. No vamos a permitir que nos estropee la noche, ¿no crees?

—Tienes razón —Elizabeth se sorbió las lágrimas y trató de recuperar la serenidad.

—¿Y tú, dónde aprendiste a reaccionar tan rápido? —preguntó entonces y Dustin sonrió—. Práctica —dijo—. Solo práctica —Después tomó la cara de Elizabeth entre sus manos y la miró a los ojos—. Por favor, prométeme que tendrás cuidado cuando estés sola, ¿de acuerdo? Sobre todo, no vayas a sitios solitarios y oscuros como este. No podría soportar que te pasara algo.

Elizabeth asintió.

—De acuerdo —susurró y Dustin la besó con dulzura. A continuación le tomó la mano con una sonrisa de ánimo. Elizabeth notó que Dustin temblaba.

Capítulo 8

Sarah aparcó su Beetle en una ensenada de grava. No podía continuar con el vehículo. A partir de allí tendría que seguir a pie. Quizá Dustin se hubiera refugiado en una de las pequeñas cabañas para cazadores. Sarah sabía de dos o tres que estaban por ahí cerca. Se encontraban en la vasta zona del bosque en la que hallaron primero el cadáver de Anna y, hacía poco, los corzos muertos.

Sarah salió y aguzó el oído. Ya empezaba a atardecer. El bosque estaba tan tranquilo e inmóvil como si durmiera. Sintió un escalofrío y no pudo evitar pensar en la historia del tenebroso atacante, que May le había contado un rato antes. La idea de que ella pudiera pasar por algo tan aterrador estuvo a punto de impedirle ir al bosque. Miró a su alrededor, insegura. Nadie la oiría si alguien la atacaba, por mucho que gritase. Un mal presentimiento la asaltó; tenía las manos congeladas. Pero ¿qué esperaba? ¿Que sería un agradable paseo dominical? Tragó saliva. «No hay que pensárselo mucho, solo ponerse a andar», se dijo, «de lo contrario me volveré a subir al automóvil y daré media vuelta». Sarah se puso en camino con el corazón en un puño. Le sorprendió lo rápido que oscurecía allí, en la maleza, fuera de los caminos. Tenía que mantenerse atenta para evitar desorientarse y poder encontrar más tarde el lugar donde había aparcado. ¿Por qué no se habría traído una linterna? Cada vez que oía un crujido o crepitación se daba la vuelta alarmada. Se enfadaba por ser tan asustadiza y porque cada uno de sus temerosos pasos provocase un crujido sobre el suelo embarrado del bosque. Sencillamente, no lograba avanzar en silencio, y en ese momento sentía con más intensidad que nunca su inferioridad con respecto al bosque y a sus leyes. Una y otra vez se detenía para tomar aire. Cada paso le costaba esfuerzo.

Al fin llegó a un lugar que le resultó familiar. Si no se equivocaba, una de las cabañas tenía que estar por ahí cerca. ¿O tendría que haberse desviado antes más hacia la izquierda? Sarah giró sobre sí misma y notó cómo el aire se volvía brumoso a su alrededor. Del mismo modo que una horda de espíritus sin rostro, la niebla emergía silenciosa del suelo y ascendía implacable.

Sarah tropezó con una raíz y del susto soltó un grito. Solo tuvo tiempo de agarrarse a una rama para no caerse, y al hacerlo se arañó la mano. ¡Mierda!, tenía que concentrarse más. Y entonces... oyó un ruido extraño, no lejos de ella. Sarah se quedó paralizada. Contuvo la respiración e intentó quedarse muy quieta. Volvió a oír el ruido, esta vez con más claridad... ¡Pasos, eran pasos, sin duda alguna!

Ese día se prolongaba más que semanas enteras, no terminaba nunca. No obstante, por fin se había instalado el crepúsculo. Dustin cerró la puerta carcomida tras él y se puso en camino. Se esforzó por avanzar a buen paso y apartar los pensamientos que le asaltaban una y otra vez: Sarah, sus ojos, su sonrisa y su cálida voz; la idea de que ella quizá llevara ya mucho tiempo sin echarlo de menos; la imagen de su felicidad al lado de Jonathan; la creencia de que pronto lo expulsaría de su memoria junto con su extraña historia y el convencimiento de que más adelante solo lo recordaría como a un loco...

Dustin trató de razonar con serenidad. Lo que Sarah pensase de él ya no podía importarle. Se trataba única y exclusivamente de intentar alejarla a ELLA para, de ese modo, evitar que pudiera dañar a Sarah. Dustin esperaba de todo corazón que su plan funcionase. No le cabía la menor duda de que ELLA conocía cuál había sido su refugio hasta entonces y no tardaría en averiguar que se había marchado de la cabaña y de la ciudad. Nunca tardaba mucho en descubrir su rastro. ¿Por qué iba a hacerlo esa vez?

Por precaución Dustin había comprado un mapa de Francia en la vieja gasolinera cercana al bosque y había marcado París con una cruz. Había dejado el mapa en la cabaña para facilitar que ELLA se enterara de sus planes. Dustin se detuvo con brusquedad y escuchó. Había alguien.

«ELLA», pensó. Era posible que lo estuviera observando en ese mismo instante.

Más pasos, esta vez más rápidos. El corazón de Sarah latía frenético. Su pensamiento retomó la inquietante escena junto al río descrita por May. Esa figura extraña que la había sujetado por el cuello siendo Elizabeth y cuyos ojos grises y turbios la habían atravesado... «Emilia», pensó Sarah. Tenía que haber sido Emilia, aunque no hubiera ninguna prueba de ello. Un miedo cerval se apoderó de ella. Miró a su alrededor conteniendo el aliento. Ahí, algunos metros delante de ella, algo se había movido entre las ramas durante una fracción de segundo. Pero quienquiera o lo que quiera que hubiera sido, se comportaba con tanto recelo como ella. ¿Es que acaso la habían descubierto? ¿La observaban? ¿O estaba el autor de los pasos tan desconcertado como ella? «Dustin», se le pasó a Sarah por la mente de pronto. No en vano encontrarlo era el objetivo de su descabellado plan. ¿Y si era él quien merodeaba por ahí? Sarah miró en la dirección hacia donde le había parecido distinguir algo. La niebla se iba volviendo más espesa y tenía la impresión de estar quedándose ciega. Se sentía como una prisionera, desamparada y sola, como si sus sentidos la hubieran abandonado a su suerte. Entreabrió los labios en una muda y temblorosa súplica. «Por favor, por favor, no dejes que cometa ningún error precisamente ahora», rogó en silencio a un poder invisible. «Haz que no sea Emilia ni ningún animal salvaje.»

—¿Dustin? —Su susurro sonó ronco e inquietante. La niebla parecía engullir su voz.

Dustin se dio la vuelta. Allí había oído... había oído su nombre. Alguien había pronunciado su nombre. No ELLA, sino... Sarah, era la voz de Sarah.

—¿Dustin...? ¿Eres tú?

Ahí estaba otra vez... La voz venía de bastante lejos, pero no había duda de que era Sarah. No lo había olvidado, lo estaba buscando, buscaba respuestas. Pero ¿cómo podía ser tan inconsciente para adentrarse en el bosque sola, después de todo lo que había pasado? ¡Tenía que largarse de ahí cuanto antes!

De pronto, Dustin volvió a oír pasos. Pero ahora el rumor llegaba desde una dirección completamente distinta. Sarah y él no estaban solos, eso quedaba claro. Salió corriendo en la dirección de donde venía la voz de Sarah. Tenía que ser más rápido, tenía que protegerla. Ella no debía moverse, sino quedarse donde estaba, no dejarse distraer... Dustin podía ya reconocer entre la espesura los contornos indefinidos de su delicada silueta. Sarah se volvió hacia el lugar de donde venían los extraños pasos y avanzó. No, por favor, Sarah, por favor quédate quieta, espérame... Sarah dio otro paso vacilante. Dustin abrió la boca, presa del pánico. «Sarah»... Su nombre se perdió en el estallido ensordecedor que hizo temblar al bosque entero.

Sarah estaba desorientada. Ya no reconocía nada, no sabía por dónde había llegado, ni lograba ubicar los ruidos. Según como, percibía una presencia que se movía hacia ella por un lado para después sentirla por otro. Vagaba confusa, sin rumbo, tropezaba con raíces y tocones. Si alguien la encontraba así, estaría sin remedio a su merced. «Dustin, por favor, por favor, que seas tú», imploró en silencio. Los pasos seguían acercándose sin pausa y Sarah notó cómo las piernas le flaqueaban. Su cuerpo parecía ahora de gelatina.

Entonces resonó de pronto un estallido atronador que se extendió por todo el bosque, con tal fuerza que incluso el aire vibró. El pavor la obligó a gritar. Estaba paralizada por el miedo, de rodillas en el suelo y protegiéndose la cabeza con los brazos. De repente recordó algo: «Los cazadores furtivos existen de verdad. ¡Y están muy cerca de aquí!». Sarah apenas se atrevía a respirar, cuando los pasos empezaron a oírse de nuevo... Suaves, susurrantes... pero decididos. Iban directos hacia ella.

Sarah levantó la mirada... y vio el cañón de un arma apuntándola.

Dustin la oyó gritar. Siguió corriendo. Aunque la hubiera perdido de vista, Sarah no podía estar ya muy lejos. ¡Maldita sea!, ¿qué estaba pasando allí? ¿Quién, aparte de ELLA, estaba haciendo de las suyas por aquellos andurriales? Unas voces suaves le llegaron con nitidez. Se detuvo para orientarse y siguió el murmullo tan silenciosamente como pudo. Allí, tan solo a un par de metros, estaba Sarah apoyada en un tronco, menuda, frágil y absolutamente aterrorizada, ante la presencia de dos hombres armados que vestían uniformes de camuflaje. ¿Qué querían de ella? Dustin estaba a punto de arremeter contra ellos para acudir en auxilio de Sarah, cuando algo lo detuvo. Se agachó y se ocultó tras un árbol. Había reconocido a uno.

—Pero muchacha, ¿qué haces aquí en medio del bosque? ¿Estás jugando a policías y ladrones quizá? —Al hombre que hablaba casi se le salían los ojos de una cara angulosa y roja de rabia.

Sarah seguía temblando de miedo.

—No, yo... la verdad es que solo quería dar un paseo y...

—¿Aquí, entre la maleza, y a estas horas? ¿Te has vuelto loca? ¿Qué pretendes demostrar?

La voz de Sarah temblaba casi tanto como sus piernas.

—Yo... de hecho ya hace rato que quería volver —balbuceó—, pero se levantó esta niebla y perdí por completo la orientación. ¿Por qué... por qué han disparado?

Ambos policías rieron.

—No hemos sido nosotros, pequeña. Eran los furtivos que perseguimos desde hace días —dijo el más joven de ambos. Parecía más tranquilo y cordial que su compañero.

—¿Es que no lees el periódico? —intervino de nuevo el de la cara roja—. Hoy hemos estado a punto de pillarles, pero te has cruzado en nuestro camino.

—Perdone, no... no lo pretendía.

—¡Podrías haber muerto! —dijo con brusquedad—. ¿Es que no tienes ojos en la cara? En los carteles amarillos se dice claramente que no hay que apartarse de los caminos señalizados. ¿Crees que los ponemos por diversión? Por si no te habías enterado, hace poco se encontró un cadáver en el bosque. No muy lejos de aquí. Una muchacha de tu edad fue atacada por un lobo enfurecido al que con toda probabilidad habían herido antes los cazadores furtivos —decía el hombre lleno de rabia.

Sarah sacudió la cabeza al tiempo que pensaba febrilmente. ¿Cómo podría salir de este trance? Se decidió por una mentira.

—Yo... la verdad es que no lo sabía. En el futuro seguiré las indicaciones de los carteles, por supuesto.

—Venga, vamos, te llevaremos a casa, tus padres se estarán... —empezó a decir el policía joven.

—¡No, por favor! —lo interrumpió Sarah asustada. Si su madre se enteraba de su salida, se armaría una buena.

—He venido conduciendo y he aparcado ahí delante, en el camino.

—Muy bien —dijo el joven a su compañero—. La acompañaré hasta su vehículo, tú espérate aquí. Quizá vuelvan a aparecer esos tipos.

Mientras se dejaba guiar por el policía fuera del bosque, hasta el lugar donde había aparcado, Sarah se volvía una y otra vez. En su interior se abría paso una singular certeza: Dustin. Dustin estaba allí, y sabía que ella también. «Dustin, si pudiera mandarte algún mensaje», pensó Sarah con desesperación.

—Volveré —susurró en la brumosa oscuridad—. Te prometo que muy pronto volveré.

El policía frunció el entrecejo y miró a Sarah como si pensase que no estaba muy bien de la cabeza.

—Pero, ¡por favor!, a una hora razonable y como hemos acordado; siempre por los caminos señalizados —añadió, más bien para sí mismo—. Estos adolescentes... es que solo saben vivir en su propio mundo. Lo más probable es que hayan leído demasiadas novelas.

Así que había cazadores furtivos en el Canyon Forest haciendo de las suyas. Dustin debía de haberse cruzado con ellos cuando creía perseguir a ELLA. Eran tipos brutales, sin escrúpulos.

Dustin observó desde atrás al joven policía que acompañaba a Sarah y respiró aliviado. Al menos ella estaba a salvo, aunque solo fuera de momento. Tenía que pensar rápido. Debía advertirle que no volviera a salir a buscarlo. Ojalá ese otro policía desapareciera de una vez. Mientras siguiera merodeando por las cercanías Dustin no podía hacer nada.

Unos ruidos lejanos y unos pasos tras él lo hicieron moverse a toda prisa y sin pensar... y también se movió el policía de la cara enrojecida. Alumbró a Dustin con su linterna directamente en la cara.

—¡Al fin! —dijo, apretando los dientes—. ¡Lo sabía, rata miserable!

Dustin se dio a la fuga sin dudar ni un segundo. Carecía de sentido ponerse a discutir y a dar excusas poco convincentes.

—¡Alto, muchacho, detente ahora mismo o disparo! —Dustin no le hizo ningún caso y desapareció volando por la maleza. Estaba concentrado única y exclusivamente en su huida y apartó el resto de pensamientos. «No te rindas, no te rindas. No te dejes distraer...»

El policía estaba en asombrosa buena forma. No obstante, Dustin sabía que él aguantaría más, que tarde o temprano lo dejaría atrás. El policía no tenía ninguna oportunidad compitiendo con él. Si tuviera que hacerlo, Dustin podría aguantar ese ritmo durante horas.

Entonces sonaron disparos a sus espaldas.

Capítulo 9

—Es increíble —oyó refunfuñar a su madre cuando se arrastró adormilada hasta la cocina, el lunes por la mañana.

—¿Qué es increíble? —Sarah, ese día, se sirvió más café que leche en su taza. Tras el *shock* de la noche anterior apenas había podido conciliar el sueño y necesitaba cafeína con urgencia si quería mantenerse despierta y superar de alguna manera el día de clase.

Laura Eastwood le puso a su hija el periódico delante de las narices y golpeó con el dedo índice sobre un artículo. El titular rezaba:

«Una joven a punto de ser víctima de los cazadores furtivos»

A Sarah se le encogió el corazón y estuvo a punto de derramar el café.

—¿Y? —preguntó angustiada.

—¡Léelo tú misma! La policía estaba ayer sobre la pista de los cazadores furtivos en el Canyon Forest, y justo antes de que pudieran atrapar a alguno se toparon con una muchacha. Faltó poco para que la mataran a tiros. Y eso después de todas las advertencias que han colocado sobre el peligro de abandonar los caminos del bosque. Estos adolescentes inconscientes... Tú sé prudente, ¿me oyes?

—Sí, sí, mamá.

Laura Eastwood salió de la cocina para prepararse para ir a trabajar. Sarah suspiró aliviada y apartó el periódico con manos temblorosas. No necesitaba leer ese estúpido artículo. Ella también sabía lo que había pasado. Por suerte, aquellos policías no le habían preguntado cómo se llamaba. De haberlo hecho, ahora tendría bastantes problemas y seguro que acabaría castigada sin salir de casa como mínimo durante medio año. Al recordar la noche pasada le sobrevenía de nuevo el sudor frío que le provocaba el miedo. No quería volver a verse nunca más en una situación tan espeluznante. Se apresuró a acabar su café y salió hacia el instituto.

Durante el trayecto en automóvil sus pensamientos volvieron a Dustin. El día anterior solo había conseguido ponerse en grave peligro. No obstante y por alguna razón que se le escapaba, tenía el convencimiento de que no iba tan desencaminada en su búsqueda. Instantes antes de que sonase el disparo y durante una milésima de segundo hubiera jurado que oyó la voz de Dustin llamándola por su nombre... Pero quizá fueran solo imaginaciones suyas, una ilusión. No estaba segura.

—Volveré —había murmurado—. Te prometo que muy pronto volveré.

Y mantendría su palabra. Tenía que volver a intentarlo, tenía que encontrar a Dustin... a cualquier precio. Un escalofrío le recorrió la espalda al pensar en regresar sola al bosque. Subió el volumen de la música para distraerse.

Who you following, who you starting to move like, who you falling for, who you falling for...

Tras el incidente de la última noche, Dustin no se había marchado de la ciudad como tenía previsto, sino que había vuelto a su cabaña de madrugada, totalmente agotado después de haber logrado escapar del policía de la cara enrojecida. Aunque no pensaba que el tipo fuera a disparar, había tenido la suerte de que su perseguidor tropezara, y al levantarse maldiciendo comprendió que la ventaja era excesiva para intentar alcanzarlo. Había faltado muy poco para que Dustin estuviera en ese mismo momento en prisión preventiva. Ya era la segunda vez que el policía lo pillaba de noche en el bosque y sin duda sospechaba que era uno de los cazadores furtivos. Dustin solo seguía en el lugar porque tenía que solucionar un último asunto antes de irse de Rapids.

Sarah había sentido su cercanía. Seguía pensando en él, no le era indiferente, volvería a buscarlo... y posiblemente caería directamente en poder de ELLA. Dustin tenía que avisar a Sarah como fuera para dejarle claro que en los próximos días no podía volver al bosque. Al mismo tiempo, quería contarle que se iba para siempre... y que no debía seguir buscándolo. Sacó una hoja y un lápiz sin punta del bolsillo. Se asomó a la ventana y contempló el día que comenzaba.

«Mañana, a esta misma hora, estaré sentado en algún avión que me lleve a mi nuevo hogar...», pensó Dustin, «... una vez más». Después, miró la hoja en blanco arrugada que seguía sosteniendo en su mano. Sería difícil resumir todo lo que quería decirle a Sarah en un par de miserables líneas.

—¡Hola, Sarah! —la llamó Jonathan cuando se encontraron en el pasillo del instituto, durante la pausa.

—Hola, Jonathan —Sarah sonrió con timidez, y tampoco Jonathan parecía saber qué decir.

—¿Qué tal ayer con May? —preguntó al fin Sarah para romper el silencio.

—¡Ah!, no estuve mucho rato con ella. Solo quería un par de hojas de apuntes de las clases que se perdió —repuso.

Sarah asintió.

—¿Y tú? ¿Va todo bien? —preguntó Jonathan.

—Sí, todo bien.

—Escucha, Sarah, esto quizá suene extraño, pero... Vas con cuidado por ahí, ¿verdad? —Jonathan se puso serio.

—¿A qué... a qué te refieres exactamente? —preguntó Sarah sorprendida.

—Bueno, quiero decir... Incluso estuve a punto de llamarte, pero no estaba seguro de cómo debía decírtelo... Ya sabes que ahora mismo está la cosa muy movida en Rapids... Anna, la historia de los cazadores furtivos... —Tosió débilmente, nervioso—. Por favor, no me tomes por loco, pero tengo la impresión de que se ha extendido algún tipo de maldición sobre la ciudad.

Sarah notó que se le ponía la carne de gallina.

—¿Una maldición? Jonathan, eso suena de lo más inquietante. ¿Acaso eres supersticioso?

—No, no... Pero a menudo una desgracia viene seguida de una serie de sucesos horribles. Lo único que quiero es que tengas cuidado y no andes sola por ahí. De un tiempo a esta parte andan por Rapids algunas personas extrañas... No te fíes ni de tu sombra. Y no reveles a nadie nada personal, ni tu nombre ni tu dirección.

Sarah lo miró perpleja. Sus palabras sonaban extrañas.

—¿A quién iba a darle mi dirección, así, sin más?

—Ni idea, a veces sucede. La otra noche, por ejemplo. ¿Te acuerdas de aquella curiosa mujer que pasaba por vuestra calle?

—¡Ah!, la... —Sarah sonrió y le puso a Jonathan la mano en el brazo—. Gracias por preocuparte tanto por mí. Eres un encanto —dijo—. Pero sé cuidar de mí misma.

Jonathan le devolvió una sonrisa forzada.

—Bien, pues entonces, ¡hasta luego!

Sarah lo observó sorprendida mientras se iba. Luego se dirigió a su siguiente clase. Pero no lograba concentrarse en lo que la profesora decía y se distraía cada poco. Pensaba en las sombrías palabras de Jonathan y sentía que se apoderaba de ella un mal presentimiento. Le preocupaba que precisamente él, que en general era muy positivo, se mostrara ahora tan pesimista.

—Hola, May. ¿Qué tal estás? ¡Se te ve muy animada!

May se había ido recuperando en los últimos días, hoy volvía a tener un aspecto del todo saludable.

—¡Ay, estoy muy contenta! Los médicos dicen que mi estado se ha estabilizado. Solo tengo que quedarme mañana en casa y el miércoles podré volver al instituto.

—¿Y eso te alegra? —preguntó Sarah con incredulidad. May rió.

—Sí, ya sabes... Cuando te pasas el día sin hacer nada se te vienen a la cabeza todo tipo de pensamientos deprimentes.

Sarah miró al suelo.

—Quizá será mejor que no sigas con tu historia hoy —murmuró, aunque llevaba ya toda la mañana muriéndose de ganas por averiguar más.

May suspiró.

—Es cierto que los recuerdos de aquella época me conmueven bastante —contestó—. Pero ahora que he empezado, me gustaría que lo supieras todo. Si no, esto no tiene ningún sentido.

Sarah asintió y sacó dos latas de refresco de cola de su bolsa. Le acercó una a May mientras se sentaba con las piernas dobladas junto a ella. Su mirada fue a parar al periódico que estaba abierto en el suelo a los pies de la cama. Los ojos se le fueron enseguida al artículo de esa mañana y a las últimas líneas, que no había leído: «La policía avistó a un joven, que por desgracia logró escapar. El desconocido tiene unos veinte años, pelo oscuro y mide aproximadamente un metro noventa de estatura...».

A Sarah le dio un vuelco el corazón. «Dustin», pensó, «era Dustin. Sabía que estaba allí, lo sentí. Volveré, Dustin. En cuanto pueda, volveré.»

—¿Pasa algo? —May la miró con ojos entrecerrados. Sarah negó con la cabeza y se esforzó por sonreír.

—No, nada —dijo. Tosió levemente—. ¿Cómo siguió la historia después de esa inquietante noche junto al río?

May miró a Sarah con expresión escrutadora antes de continuar con su relato.

—Tras esa noche el asunto no me dio ni un minuto más de paz —contó May—. Tenía que averiguar la relación con el secreto de Dustin. Al menos quería algún indicio, alguna pista.

Sarah miró a May con curiosidad.

—Un par de días más tarde me acordé de que mi padre tenía en la estantería de su despacho una crónica de la mansión de Montebello. Al menos era un principio...

Elizabeth hojeó con precipitación las páginas de la crónica, que estaban archivadas en una carpeta. Se sentó en la cama con las piernas recogidas y comenzó a revisar, por segunda vez, el último tercio. En algún lugar tendría que aparecer el apellido Redfield. No, no había pasado nada por alto. De 1948 a 1980 la mansión de Montebello, donde en la actualidad vivía con sus padres, se había utilizado exclusivamente como archivo de la ciudad de Florencia. Solo desde hacía nueve años se alquilaba como vivienda, y durante ese período había vivido allí un diplomático con su familia. No había ningún dato que permitiera dilucidar nada sobre la familia de Dustin.

Elizabeth sacudió la cabeza. Ya no sabía qué pensar ni cómo lograría seguir confiando en Dustin. Por un lado decía querer que se conocieran mejor, pero le ocultaba algo fundamental. Y era obvia la falsedad acerca de su nacimiento en aquella casa.

Elizabeth se resistía ante el pensamiento de que quizá fuera mejor acabar la relación, idea que la perseguía sin cesar desde hacía un par de días. Solo pensar en separarse de él le partía el corazón. Nunca antes había pasado tanto tiempo con alguien, ni se había reído tanto, ni había vivido con tanta intensidad. Y, no obstante, Elizabeth sentía que aquello no se prolongaría mucho más. La promesa de Dustin de revelárselo todo muy pronto le empezaba a parecer una excusa para no tener que justificar algo desagradable. Elizabeth comenzaba a temer que al enamorarse se había involucrado en algo de lo que antes o después se arrepentiría.

«Tengo que enfrentar a Dustin con hechos consumados», se dijo. «A ser posible hoy mismo...»

—Elizabeth, ¿puedes bajar a cenar? —la voz de la señora Stone resonó por la escalera y Elizabeth, suspirando, lanzó las hojas del documento sobre su cama.

—¡Sí, bajo ahora! —respondió. Ya meditaría después sobre cómo conseguir que Dustin le contara la verdad.

Un poco más tarde, Elizabeth se sentaba sin muchas ganas a la mesa puesta para la cena. Aunque había lasaña de espinacas, un plato que siempre le encantaba, solo logró comer un par de bocados. Y después de que su padre le contara las novedades, se le quitó definitivamente el apetito.

—¿Cómo? —Elizabeth dejó caer el tenedor. Alternaba su mirada atónita de su padre a su madre. No podía creerse lo que acababa de oír.

—¿Quieres decir...? ¿Dentro de una semana? ¿Para siempre?

—Sí —asintió su padre, radiante—. De hecho podéis empezar ya a hacer las maletas, el lunes que viene regresamos a nuestro país. Y durante los próximos cuatro años no tendrás que volver a mudarte, Elizabeth. No queríamos decirte nada hasta que fuera seguro, para evitar que sufrieras otra decepción. —El señor Stone se reclinó satisfecho en su silla y bebió un trago de vino tinto—. Si os soy sincero, también yo tengo ganas de emprender este largo proyecto en Inglaterra. Los viajes de los últimos años me han dejado exhausto. Y es que ya no tengo veinticinco años...

Elizabeth miraba a su padre en silencio. No, no había más. La decisión era firme.

—Nos vamos... —susurró para comprender al fin sus palabras—. Nos vamos... Otra vez.

—Sí, ¿qué te pasa ahora? Pero si siempre te quejas de nuestro estilo de vida. La verdad es que pensé que me abrazarías de felicidad...

La señora Stone le hizo una señal a su marido para que callara y tomó la mano de su hija.

—Ya verás, cariño, te harás a la vida en Brighton mucho más rápido de lo que ahora te imaginas. Y en cuanto a Dustin... Sé que os va bien. Pero Inglaterra no es el fin del mundo. Puede visitarte durante las vacaciones, tan a menudo y tanto tiempo como quiera... y, por supuesto, tú también a él —añadió suavemente. Elizabeth no dijo nada. Sentía como si se le abriera la tierra bajo los pies—. Y así veréis si vuestra relación aguanta la distancia —prosiguió su madre—. Además, eres demasiado joven para comprometerte, Elizabeth. Dustin es amable y encantador, pero tampoco os conocéis desde hace mucho. Ahora no puedes saber si es el adecuado para ti. Y quién sabe a quién conocerás en Brighton...

Elizabeth se soltó de su madre, se levantó de un salto y lanzó a su padre una mirada fulminante.

—No os importo nada —dijo con voz temblorosa—. Solo os preocupáis por vosotros. ¡Siempre ha sido así! No os importa ni lo que yo quiero ni cómo me imagino la vida. Si os importara, me consultaríais antes de tomar esta clase de decisiones.

—Elizabeth, cariño... —comenzó su madre con timidez, pero Elizabeth no le hizo caso.

—¡No me quiero ir de aquí, me gusta Italia, os lo he dicho en los últimos meses más de una vez! —gritó furiosa—. Pero, como siempre, hicisteis oídos sordos porque contrariaba vuestros planes. Hacía tiempo que no me sentía tan en casa como aquí, yo... —Elizabeth se calló al ver los rostros consternados de sus padres. Sabía que ni su padre ni su madre la entenderían jamás. Ni siquiera lo intentaban. Vivían en su propio mundo y Elizabeth se preguntó por enésima vez por qué habían decidido tener un hijo. Casi siempre tenía la sensación de ser más bien un apéndice molesto.

Se le saltaron las lágrimas. Antes de que sus padres pudieran decir algo, dio media vuelta y se encerró en su habitación. Se tiró sobre la cama, sollozando. Al hacerlo, la pila de papeles resbaló de donde estaba y todas las fotocopias de la crónica de la casa se desparramaron por el suelo. ¡Solo le faltaba esto! Elizabeth se incorporó, se limpió apresuradamente las lágrimas y comenzó a recoger las hojas. Su mirada cayó por casualidad en un anotación de 1893: en el día de su decimonoveno cumpleaños Dustin di Ganzoli, hijo de Alfredo di Ganzoli y de su esposa Florence (de soltera Redfield), desaparecido desde hacía dos meses, fue declarado muerto.

—¿Así que Redfield es el apellido de soltera de su madre? —preguntó Sarah. May asintió.

—Sí, lo adoptó en vez de di Ganzoli porque pasaba mucho tiempo en Inglaterra y Estados Unidos —repuso, mientras sacudía la cabeza ensimismada—. Aquel día fue uno de los peores de mi vida —prosiguió al fin—. Primero la noticia de que nos íbamos, después descubrir el nombre de Dustin en la crónica de la casa. Fue como si me quitasen todo lo que había construido hasta entonces. Toda mi vida, ¿entiendes?

Sarah asintió.

—Hay días así. Empiezan como cualquier otro, como si fueran la continuación de una rutina, y por la noche ya nada vuelve a ser como antes. Un par de horas pueden cambiarlo todo.

May miró a Sarah, pero no contestó. Sus pensamientos seguían en aquel día durante el cual los acontecimientos se habían precipitado.

—Sabía que tenía que hacer algo —continuó—. Leí y releí aquellas líneas increíbles sin comprender lo que allí se decía. Me imaginé todo tipo de cosas... «No puede ser Dustin», me repetía una y otra vez. «Tiene que ser uno de sus antepasados...» —May hizo otra breve pausa antes de seguir hablando—. Se suponía que Dustin vendría a recogerme por la noche para ir a la ciudad en automóvil, pero no podía mirarlo a los ojos. No sabía cómo debía comenzar la conversación. Ya cuando le abrí la puerta notó que algo no iba bien. Trató de que se lo contase y se puso muy nervioso. Al fin me convenció para dar un paseo por los viñedos y poco a poco me fui serenando. Nos sentamos en un banco y las palabras no tardaron en brotar por sí solas. Le conté lo que había visto en la crónica y le hablé de la decisión que mis padres habían tomado sin preguntarme. No miré a Dustin ni una vez durante todo el tiempo y él no me interrumpió en ningún momento. Después, ambos guardamos silencio. Mucho rato. Y al final, Dustin comenzó a contar —May rió—. Tenía razón. Eran muchas palabras, palabras incomprensibles. Palabras para definir algo que hasta ese momento no existía ni en mis más locas fantasías. Y sin embargo, o precisamente por eso, el relato de Dustin me fascinó. Me contó cómo por aquella época, en 1893, se había enamorado en Montebello de la hija de un socio de sus padres. Emilia...

Sarah se estremeció. Habían llegado al origen de todo. Al momento en el que Dustin había perdido su mortalidad para ganar la eternidad.

—Al parecer era preciosa y muy misteriosa —continuó May—. No pasó mucho tiempo antes de que Dustin cayera rendido a sus pies. Una noche, ella le confió su secreto: no era un ser humano, sino un inmortal que se alimentaba de sangre. Emilia le pintó la eternidad con bonitos colores, le habló con pasión de la juventud y la belleza eternas. Cautivó sus sentidos hasta el punto de conseguir que se dejara morder por ella. Emilia bebió su sangre y, en efecto, cuando Dustin despertó, ya era inmortal. Solo entonces ella le mostró su verdadero rostro: el de un monstruo sanguinario que ambicionaba aliarse con él. Cuando Dustin comprobó la brutalidad que descargaba sobre sus víctimas, se apartó de ella. Y desde entonces Emilia quiere vengarse de él, por su infidelidad. Lo ha maldecido, ha jurado acosarlo durante toda la eternidad y arrojarlo sin remedio en la infelicidad eterna.

May detuvo su relato y Sarah la miró asustada.

—¿Quieres decir que Emilia mordió a Dustin sin motivo? ¿Sin intención de salvarse por medio de su amor? ¿Lo único que pretendía era convertirlo en inmortal?

May asintió.

—Eso me contó Dustin. Emilia no estaba interesada en absoluto en volver a ser mortal. Solo quería tener a alguien a su lado que la obedeciera, la adorara, la admirara y la apoyase para llevar a cabo sus horrendos propósitos y sus viles asesinatos. Estaba obsesionada con el poder y carecía de piedad alguna.

—Pero ¿quién le reveló entonces a Dustin que demasiada sangre humana le robaría el alma y que solo el verdadero amor lo salvaría?

May se encogió de hombros.

—La mayor parte tuvo que descubrirla por sí mismo. Emilia, llena de odio, lo torturaba con sus ácidas burlas y sus continuas amenazas. Se rió de él y le dijo que sin ella estaría perdido en la eternidad. Tampoco yo conozco más detalles. Dustin evitaba mencionar el nombre de Emilia y quería olvidar el pasado. Como si eso estuviera a su alcance... —May miró a Sarah de reojo—. En todo caso, ves lo confusa que resulta toda la historia. Ya desde el principio estaba condenada al fracaso.

Sarah le devolvió la mirada, para después bajarla al suelo.

—¿Y tú? —preguntó al fin con suavidad—. ¿Cómo continuó vuestra historia después de que... de que conocieras su pasado?

Cuando continuó con su historia, May volvió a dirigir su mirada hacia la lejanía.

Era ya de noche cuando Dustin acabó su relato. Durante un largo rato se quedaron sentados el uno junto al otro, sobre el pequeño banco de madera en el viñedo, sin decir palabra. El viento interrumpía el pesado silencio, susurrando suavemente por entre las apacibles colinas, como si quisiera que se durmieran cantándoles una nana. Elizabeth se sentía incapaz de hablar o de mirar a Dustin. Solo después de que la tomase por el brazo con cuidado y la llevase a casa, lo miró. La luz del farol que iluminaba la casa se reflejaba en sus ojos. Negó con la cabeza, una y otra vez, con tanta energía como si de esa forma pudiera cambiar lo ocurrido y conjurarlo sin palabras, como a una mentira.

—Todo eso no pasó realmente, ¿verdad, Dustin? —susurró implorante—. Emilia, la mordedura y tu despertar como inmortal, su promesa de venganza... A ti te gusta inventarte historias atractivas, y esta es una de ellas, ¿no es cierto? Es incluso tu preferida, por eso empleas palabras tan fantásticas, tan adecuadas, para que parezca auténtica y viva. Está bien —añadió riendo con inseguridad—, de lo más interesante y romántica. Deberías escribir una novela, o un guión...

Dustin la miraba turbado.

—Era demasiado pronto para la verdad —dijo—. Sabía que era demasiado pronto y que mi historia te resultaría excesiva. Por ese motivo he callado todo este tiempo. No quería asustarte. Pero desde anoche tengo el negro presentimiento de que ya no estamos a salvo. ¿Te acuerdas de la inquietante figura junto al río? ELLA está aquí, Emilia me ha encontrado, estoy seguro. Nadie más lucha con tanta rapidez y destreza. Y quiere destruir nuestro amor. Debemos darnos prisa, ya no nos queda mucho tiempo —dijo él, tomando la mano de la muchacha—. ¿Me quieres de verdad, Elizabeth? ¿Me quieres y confías en mí, incluso después de todo lo que hoy has averiguado?

Elizabeth no reaccionó a las preguntas de Dustin. Le hizo un gesto para que callase, soltó su mano y le dio la espalda, como si no existiera. Sin una palabra más, abrió la puerta.

«Solo necesito acostarme y dormir», se dijo. «Y mañana me levantaré y me daré cuenta de que todo este día increíble ha sido solo un sueño.»

Elizabeth entró aturdida en casa. Entornó los ojos, aunque el vestíbulo solo disponía de una tenue iluminación procedente de una lámpara en la pared. Cuando su vista se acostumbró a la débil claridad, su mirada tropezó en algo que no había vuelto a ver desde hacía más de un año y casi había olvidado. Solo ahora, poco antes de su marcha, su padre había vuelto a colgar la vieja foto de familia en su antiguo lugar.

Elizabeth se quedó petrificada frente a ella. Se dio cuenta de que su deseo no se cumpliría. Estaba despierta y todo lo que Dustin le había contado era real, no cabía ninguna duda.

Él se puso a su lado. También contemplaba inmóvil la foto. Ninguno de los dos dijo nada. Después, muy lentamente, sus miradas vagaron hasta encontrarse.

Dustin asintió de forma casi imperceptible, como para confirmar las preguntas silenciosas de Elizabeth. Ella tragó saliva y miró al suelo. Su corazón latía y le golpeaba dolorosamente. Hasta que dio un paso hacia él, levantó el brazo con timidez y puso la mano sobre su pecho. No notó nada.

El teléfono móvil de May vibró y emitió un tono estridente que las sobresaltó.

—Mira quién es, si quieres —murmuró Sarah—, yo voy a refrescarme un poco. —Entró en el baño de May y se observó en el espejo. Mientras la escuchaba, se había imaginado a menudo que estaba en el lugar de Elizabeth. Quizá porque su historia le recordaba su propia situación. También Sarah se había sentido de repente, por la presencia de Dustin, de nuevo despierta y viva, también había resurgido del agotamiento que sentía desde la muerte de su padre. No obstante, había una diferencia: Elizabeth había dado en aquel momento un paso al que Sarah aún no se había atrevido. Pero ¿qué hubiese pasado si May no hubiera irrumpido con tanta furia en la habitación de Dustin la semana anterior, tras la muerte de Anna? Sarah pensaba en aquel momento perfecto, en la cercanía de Dustin y sus delicadas caricias, y al recordarlo sentía un hormigueo por todo el cuerpo. Había estado a punto de perder el conocimiento. Quizá se hubiera levantado junto a Dustin sin latidos en el corazón. Como Elizabeth veintidós años atrás. ¿Acaso era realmente posible la salvación a través del amor verdadero? ¿Alguna vez un humano enamorado había devuelto a un inmortal a la vida finita? ¿Y si no era más que una mentira, un cuento? Entonces continuaría así por toda la eternidad; del amor surgiría la esperanza, de la esperanza, el desengaño y del desengaño, la infinita desesperación. Sarah se mareó. Dustin y May solo habían querido evitar que también ella, Sarah, acabase en ese eterno círculo vicioso.

Se echó agua fría en la cara y se secó con una toalla. Después volvió a la habitación y se sentó en la cama con las piernas recogidas. May estaba junto a la ventana mirando hacia fuera.

Sarah jugaba con un mechón de pelo, perdida en sus pensamientos.

—¿Sabías realmente lo que hacías cuando te dejaste morder por Dustin? —preguntó—. ¿Cómo podías estar tan segura de que vuestro amor era lo bastante fuerte como para traerlo de vuelta?

May se volvió hacia Sarah y sonrió.

—Creo que no estaba segura en absoluto —respondió—. Lo único que sabía era que nunca antes me había sentido tan cerca de alguien como de Dustin. No tenía amigos íntimos, ni siquiera con mis padres mantenía una relación estrecha. —Hizo una pausa y suspiró—. Sencillamente, me sentía bien junto a Dustin. Él me enseñó lo que significa disfrutar de la vida, saborearla, sentirla muy dentro de uno... —añadió, llevándose la mano al pecho.

«Allí es donde su corazón debería latir», pensó Sarah. Se sobrecogió al darse cuenta de que también el pecho de May había enmudecido.

—¿Y cuándo te decidiste a darle tu sangre? —preguntó Sarah.

May reflexionó.

—Poco después de descubrir la verdad. No nos quedaba mucho tiempo. Dustin estaba seguro de que Emilia nos había encontrado y que solo estaba esperando el momento adecuado. Además, nuestra marcha a Inglaterra era inminente Yo tenía claro que no quería regresar allí. Mis padres, que nunca me tenían en cuenta, me habían decepcionado demasiado. No quería seguir viviendo con ellos. Quizá por eso no tuve tampoco la sensación de estar arriesgando nada. Y en ese momento pensaba de veras que el amor entre Dustin y yo sería suficiente para traerlo de vuelta. Creía que podría vivir una vida feliz con él en Italia. —May rió con amargura—. ¡Tenía tan poca experiencia!

Sarah tragó saliva.

—¿Y hasta qué punto se había degradado Dustin cuando os conocisteis? —preguntó al fin—. Quiero decir, ¿había ya perdido mucho de su humanidad?

May negó con la cabeza.

—No, un profano nunca hubiera notado que le faltaba algo. Aún se acordaba bien de cuando era mortal y de sus sentimientos. Cuando nos conocimos se había alimentado fundamentalmente de sangre animal. Solo de vez en cuando había cedido al impulso interior y había bebido sangre humana. Siempre que... ya sabes... quería acostarse con una chica —May se sonrojó—. Solo funciona cuando tiene sangre en sus venas. Tuvo un par de novias antes de mí, nada importante. Solo les chupaba cantidades de sangre que no resultasen peligrosas para ellas. Eso le iba dañando poco a poco, y el hambre de sangre humana fue aumentando. Dustin fue perdiéndose a sí mismo paulatinamente, ¿entiendes?

Sarah asintió y tiró nerviosa de la manta de May. De hecho, se había preguntado más de una vez si Dustin sería capaz de tener relaciones sexuales con una muchacha. Ahí tenía la respuesta: solo si bebía sangre humana. Notó cómo se le iba poniendo la carne de gallina ante la excitación que le producía imaginarse una escena como aquella.

—¿Sarah?

La joven se sobresaltó. Le pareció que había leído sus pensamientos. May la miró perpleja.

—Sarah, te cuento toda esta historia sobre todo para que sepas que Dustin es peligroso. No te estoy revelando todo mi pasado para que te preguntes si quizá tú podrías ser su gran amor, su salvadora. Con el tiempo se ha vuelto aún más impenetrable y ahora resulta más complicado valorar su estado que entonces. En los últimos años Dustin ha renunciado a demasiado de sí mismo. Ya ni siquiera sabe lo que busca realmente. Y hace responsable a Emilia de cada paso que da en falso. Para él es la culpable de todo. Se siente perseguido y amenazado por ella todo el tiempo. Solo su nombre basta para ponerlo nervioso. Es enfermizo. Se la imagina por todas partes y está constantemente huyendo, cree que ella le nubla la mente... Tanto en Florencia como en Chicago y ahora aquí, en Rapids.

—¿Así que no crees que en realidad Emilia quiera vengarse y hacerle daño?

May rió con desdén.

—Se ha convertido en un excusa cómoda, un fantasma, nada más. Dustin la saca a relucir siempre que comete un error y tiene que justificarse. Le resulta fácil echarle toda la culpa a ella.

—Pero entonces... —Sarah se interrumpió cuando vio los ojos de May. Su expresión fría y distante reflejaba su firme opinión: Dustin era ya exactamente igual que Emilia, pero no quería verlo ni admitirlo.

Capítulo 10

A última hora de la tarde Sarah se encaminó a la habitación de Jonathan. Se sentía bastante aturdida por la larga historia de May y le apetecía oír su alegre voz, eso si Jonathan estaba de mejor humor que esa mañana. Sarah golpeó su puerta pero no obtuvo respuesta. Estaba a punto de irse cuando oyó una voz. Se detuvo y escuchó. Parecía que Jonathan tenía visita: era una muchacha. ¿Quién? Sarah se acercó. La voz le sonaba de algo...

—Así que después de esa reacción tuve una impresión completamente diferente. Espero que no me estés mintiendo —dijo la muchacha—. Si así fuera, estaría muy, muy decepcionada. Eso lo tienes claro, ¿verdad? —rió—.

Me tengo que ir ya. Me queda otro asunto que resolver. Ya sabes dónde encontrarme. Si no, no importa, ya te encontraré yo.

Después volvió el silencio. Sarah esperaba una respuesta de Jonathan, pero ya no oyó nada más. La puerta se abrió súbitamente, lo que hizo retroceder a Sarah un paso del susto.

—Jonathan... —rió nerviosa—. Precisamente venía a verte —Sarah sintió el rubor que le subía por las mejillas. No era buena mintiendo.

—¡Ah!, esto... es... ¡qué amable! —balbuceó Jonathan—. ¿Pasa algo? —Parecía tan asustado como ella. ¿Se sentía pillado?

—No, solo quería ver si estabas bien. Esta mañana me asustaste bastante con tus sombríos augurios. Se me puso la piel de gallina.

—Lo siento —respondió de manera escueta Jonathan, sin hacer ademán alguno de invitarla a pasar a su habitación.

—¿Te molesto? —preguntó vacilante.

—No, para nada —dijo él—. Solo salía un momento por mis zapatos. —Se inclinó y tomó sus deportivas, que estaban delante de la puerta—. Tengo que volver a salir ahora, casi no me queda nada en el frigorífico. —Sarah se inclinó un poco hacia delante y, llevada por la curiosidad, echó un vistazo por encima de Jonathan hacia su habitación. Qué extraño, no veía a nadie. Pero en la televisión ponían alguna telenovela y la ventana estaba abierta de par en par. La cortina blanca se inflaba fantasmal delante del oscuro cielo nocturno.

Querida Sarah:

Me imagino lo mucho que te tiene que haber sorprendido y atemorizado lo ocurrido estos últimos días. Me encantaría poder explicártelo todo, pero no hay tiempo.

Estás en peligro, Sarah, en peligro de muerte... por mi culpa. Ese es el motivo por el que me voy de aquí. No quiero que tengas que vivir con miedo constante. Y eso es lo que pasaría si me quedase cerca de ti. Por favor, en el futuro mantente lejos del bosque. Allí hay una bestia cometiendo brutalidades que me ha jurado venganza, y de la que tampoco tú estás a salvo, al menos no en el futuro más cercano. Me encargaré de que desaparezca pronto, te lo prometo.

Sarah, por mucho que me cueste escribir esto, debo hacerlo. Intenta olvidarme, a mí y a todo lo relacionado conmigo. Encontrarás a alguien que te haga feliz, de eso estoy seguro. Alguien de tu mundo... Pero fíjate bien en quién tienes delante y qué te promete. No te dejes des-

lumbrar ni engañar. He aprendido que a veces los ojos pueden mentir.

Solo otra cosa. Doy las gracias por que hayamos podido conocernos. Me regalaste un valioso momento de tu vida y se ha convertido en uno de los más bonitos de mi existencia.

¡Adiós!

D.

P.D. Por favor, cuídate y destruye esta carta en cuanto la hayas leído. No debe caer en las manos equivocadas.

Dustin dejó caer la carta que ya había leído por lo menos una docena de veces. Se había esforzado por encontrar las palabras adecuadas, y aun así las frases le parecían torpes. Pero la carta contenía lo más importante y le mostraba a Sarah que seguía pensando en ella y que no desaparecía de su vida sin antes explicarle la razón. ¡Menudo consuelo! Dustin dobló la hoja varias veces y esperó que la madre de Sarah tuviera la suficiente decencia como para no abrirla. En letras grandes y claras escribió «¡Para Sarah!» y lo subrayó varias veces.

Después se metió la carta en el bolsillo. En un par de horas podría ponerse en camino hacia la casa de Sarah. Resolvería el asunto rápidamente y se cuidaría de que nadie le viera cuando dejase la carta. A continuación, abandonaría la ciudad.

Dustin se puso delante de la cabaña y respiró el frío aire de la tarde. El bosque estaba extrañamente silencioso e inmóvil, como si se mantuviera a la espera y contuviese la respiración ante lo que iba a pasar...

Cuando Sarah emprendió por fin el camino a casa, su mente seguía dando vueltas en torno a Dustin y a May. En aquel momento, May —o mejor dicho, Elizabeth—, con toda su ingenuidad, había dado un arriesgado paso que lo había cambiado todo. Pero la propia Sarah tampoco tenía mucha más experiencia, aparte de la historia con Dan.

Y ella había tenido claro desde el primer momento que no había sido su gran amor. Dan era atractivo, encantador... y amable. Y eso era todo. Su presencia nunca le produjo estremecimientos ni había perdido el apetito por el enamoramiento.

Pero ¿cómo se podía tener de pronto la certeza de que un amor era verdadero? ¿Es que solo se podía reconocer cuando ya se acumulaban varias decepciones? Entonces era casi imposible encontrar el amor verdadero a su edad.

Sarah subió el volumen de la música.

So long you'll never be afraid, what's it going, what's it going, what's it going to get?

De repente a Sarah se le vinieron a la mente sus padres. ¿Habrían dudado alguna vez de su amor? Al fin y al cabo, también ellos habían tenido sus peleas. ¿Habrían estado seguros desde el principio de que estaban hechos el uno para el otro y que querían pasar juntos el resto de sus vidas? ¿Y qué pasaba con la muerte? ¿Podía esta romper sin más un vínculo así?

As long as we're young...
¿Se podía sustituir el amor verdadero?
Keep you always in love...
¿Y qué significaba «verdadero»?
We're falling...
¿Se podía medir el amor?
Feel you holding us up...
¿Podía un «señor Keith» sustituir el amor verdadero?
Crying for you, crying for you, crying for you...

Sarah apagó el motor. La música cesó bruscamente, pero sus preguntas permanecieron en su mente. Acompañaron a Sarah el resto de la noche, incluso mientras dormía.

Estamos fuera, en nuestro jardín de Chicago. Ha caído la primera nevada de este año. Todo se ve precioso bajo la brillante capa blanca. Tan misterioso...

Mamá se ríe y lanza una enorme bola de nieve hacia papá.

—¡Ay, esta te la voy a devolver!

Corren por la nieve como niños pequeños, parecen felices y despreocupados. Todo está bien. Y así debe seguir. Para siempre, para siempre...

—¡Pues atrápame, no me pillarás! —grita mamá.

—Vaya si te voy a pillar, ahora verás. —Papá avanza lentamente porque no puede parar de reír y la nieve es muy profunda. Los miro y también me río.

—¡No me pillarás, no me pillarás! —grita mamá tan contenta.

—Pero si siempre te pillo, ¿es que no te acuerdas? Ni en la universidad conseguías escapar de mí.

Mamá se vuelve con ojos radiantes hacia papá.

—Vaya si me acuerdo. —En su mirada hay amor, confianza ciega—. Todavía me acuerdo como si fuera hoy. —Le tiende la mano y del cielo caen blandos copos de nieve—. Pues bien, ven a mis brazos, mi tenaz perseguidor, me doy por vencida.

De pronto empieza a nevar con más fuerza, sopla el viento. Miro al cielo. Los copos se arremolinan cada vez más apretados y producen un desagradable picor en los ojos.

Papá apenas aguanta ya la tormenta de nieve, sus pies se quedan clavados.

—¿Dónde estás, Laura? —pregunta él también, extendiendo la mano, pero mamá se encuentra demasiado lejos. No consiguen alcanzarse.

—No puedo avanzar. ¡Ayúdame, Laura, por favor! —grita papá de pronto, desesperado.

—Paul... —llama mamá, que ya no se ríe. En su voz se percibe el miedo—. No puedo, Paul, no puedo ayudarte. Tienes que intentarlo tú solo. Esfuérzate... ¡Vamos, sigue andando! Por favor, por favor, inténtalo otra vez.

—Laura...

—¡Paul!

—

—¿Paul?

—

—Paul...

La nieve cae, cae, cae... Lo sepulta todo bajo su blancura. Reina el silencio. Pronto nadie sabrá que antes era diferente.

Dustin miró su reloj. Era ya medianoche, hora de ponerse en marcha. Se palpó de nuevo en el bolsillo buscando la carta, allí estaba. Abandonó la cabaña y se internó en la noche. Aunque sabía perfectamente lo que tenía que hacer, estaba tenso. Cada vez que oía un mínimo ruido se detenía alarmado y expectante para evitar que nada ni nadie se le pasase por alto.

Sus ojos no paraban ni un segundo, prestaba atención a todo. Es cierto que quería que ELLA se enterase pronto de su ausencia, pero aún no había llegado el momento. Bajo ningún concepto podía permitirse que su falta de atención la guiara hasta la casa de Sarah, poniéndola así en peligro. Tenía que ser especialmente precavido en su última noche.

De repente, Dustin oyó un crujido y se detuvo al instante. Después sonó una risa suave y profunda. Venía de algún lugar muy cercano. Dustin aguardó inmóvil. De nuevo esa risa... y voces. Dustin avanzó tan silenciosamente como pudo y se abrió camino por la espesura. Cuando las voces estaban ya muy cerca se quedó quieto y se ocultó tras un árbol. A través de la espesa maleza podía ver un pequeño claro a unos metros de él.

La escena que apareció ante sus ojos estuvo a punto de cortarle la respiración.

Allí había dos personas arrodilladas, con abrigos oscuros... rodeados de al menos una docena de animales muertos por heridas de bala. ¡Los cazadores furtivos! Obviamente habían cambiado su coto de caza y ahora causaban estragos en esta parte del bosque.

—Ese más vale olvidarlo, no sirve para nada —dijo uno de ellos—. Está despedazado. La próxima vez fíjate adónde apuntas y no dispares así, por las buenas —comentaba el hombre, al tiempo que levantaba uno de los cadáveres para lanzarlo sobre un matorral.

Dustin sentía náuseas. Al mismo tiempo, estallaron dentro de él una cólera y repugnancia sin límites hacia esos tipos, que cazaban y mataban por pura diversión y codicia. Apenas de diferenciaban de ELLA y de sus brutales actos. Dustin tuvo que reprimirse para no abalanzarse sobre ellos.

—Las manos arriba —susurró de pronto una voz ronca tras él y un objeto le presionó en la espalda.

—¡Ajá, pero mira quién es! Me alegro de volver a verte. ¡Ya tuvimos el placer de conocernos!

—¡Carol, espera! —llamó Sarah. Acababa de ver de refilón la rubia melena de su compañera de clase y se había puesto a correr por el pasillo para alcanzarla. Carol se detuvo y se dio la vuelta.

—Bueno, ¿y qué tal estás? —preguntó sin aliento cuando la alcanzó. Caminaron lentamente una junto a otra. Carol seguía estando muy pálida y abatida, pero a pesar de todo sonrió a Sarah.

—No es fácil —dijo suavemente—. Echo muchísimo de menos a Anna. Solo ahora me doy cuenta de cuantísimo tiempo pasábamos juntas.

—Ya, ya lo sé —Sarah le acarició el brazo.

—Pero la vida tiene que seguir... de alguna forma —continuó Carol—. Ayuda bastante que todos sean tan encantadores conmigo y me pregunten constantemente cómo estoy... incluso Jonathan.

Sarah rió.

—Sí, es un encanto —corroboró—. Carol, ¿qué te parece... —añadió de forma espontánea mientras se dirigían hacia las taquillas— si hacemos algo juntas esta tarde? ¿Cine o peli en casa? También podríamos comer algo por ahí o ir de compras al centro comercial. —Sarah necesitaba hacer algo por Carol, y notó que también a ella le apetecía un cambio.

—Es muy amable de tu parte, Sarah, de verdad, pero Jonathan ya me ha preguntado por mis planes de esta noche. Me pasará a recoger sobre las siete.

Sarah se sorprendió. ¿Eran imaginaciones suyas o las pálidas mejillas de Carol habían cobrado un poco de color? ¿Y por qué no era invitada por su amiga a unirse a ellos?

—Sí, claro... esto... si es así... —balbuceó Sarah azorada—. También podemos quedar mañana...

—¡Ah!, ahí está —la interrumpió Carol. Saludó a Jonathan, que estaba delante de las taquillas charlando con un par de compañeros de su clase de biología—. Habíamos quedado aquí para planificar la noche... ¡Hasta luego, Sarah, nos vemos! —Carol se volvió una vez más mientras caminaba—. ¡Ah!, y ya retomaremos nuestros planes otro día, ¿de acuerdo?

Sarah contempló perpleja cómo Carol se precipitaba hacia Jonathan y cómo se besaban en la mejilla. Lo feliz que parecía Carol de repente. Estaba casi tan radiante como antes. Y Jonathan... ni siquiera vio a Sarah, solo tenía ojos para Carol.

—¡Qué guapa estás! —le dijo con admiración. Con una encantadora sonrisa, le rodeó la delgada cintura con el brazo mientras se marchaban juntos. Parecían una pareja recién enamorada.

Sarah los observó alejarse, boquiabierta. ¿Carol y Jonathan? No se le hubiera ocurrido en la vida. Así que quizás el día anterior no se había equivocado. ¿Era la voz de Carol la que había oído en la habitación de Jonathan y no la de una mujer en la televisión?

Sarah miró al suelo. Sentía un desagradable hormigueo en el estómago y un nudo tal en la garganta que incluso le costaba tragar. De pronto, sin poder hacer nada para evitarlo, se le saltaron las lágrimas. Se las limpió furiosa y apretó los dientes. ¿Qué le importaban a ella Jonathan y Carol? Podían hacer lo que quisieran. Sarah dio media vuelta y se marchó. Enojada por el agitado latir de su corazón, que no era tan fácil de apartar como las lágrimas, se encaminó hacia su clase de literatura. En ese momento estudiaban a Jane Austen. Aunque normalmente Sarah siempre tenía ganas de asistir a esa clase, hoy ni *Orgullo y prejuicio* lograba mejorar su estado de ánimo sombrío. El hecho de que durante la hora siguiente Jonathan y Carol no aparecieran en la clase de álgebra que tenían juntos no contribuyó precisamente a mejorar su humor.

Cuando Dustin volvió en sí sintió un dolor penetrante en la pierna izquierda. Vio que esta estaba torcida de una forma extraña. Cuando trató de girarla para ponerla en la posición adecuada, le atravesó un dolor infernal que le hizo gritar con desespero. Se concentró en ahuyentar el dolor, inspiró y expiró apretando los dientes hasta que este fue disminuyendo lentamente. Después palpó con cuidado sus huesos. No parecía que nada se hubiera roto, pero era evidente que se le había distensionado un tendón, si es que no se había desgarrado.

Dustin intentó recordar lo que había pasado. Aquel policía —el tipo con la cara roja y angulosa— le había apuntado con un arma. No obstante, se distrajo un momento cuando uno de los cazadores furtivos desenfundó un arma y disparó a un segundo policía: entonces, aprovechando la oportunidad, Dustin se había soltado y había arrancado a correr. Así, sin darle más vueltas, hasta que se había caído.

Dustin miró su reloj: las ocho y media. Debía de llevar varias horas inconsciente, aquí abajo, en esta... trampa. Era una fosa de construcción sencilla, pero extremadamente profunda. Dustin calculó que tendría casi tres metros.

—¡Joder! —Le temblaba el cuerpo de rabia. ¿Cómo podía haberle pasado algo así? Camuflado o no, tendría que haber reconocido el peligro. Pero no estaba concentrado, volvía la vista constantemente en busca de sus perseguidores. Ahora estaba atrapado. Herido y en tierra de nadie. Y sin alimento. El día anterior había renunciado conscientemente a ir de caza para no hacerse notar por ELLA de forma innecesaria. Había sido un error.

Dustin cerró los ojos y trató de calmarse. Ahora no podía abandonarse, al contrario, tenía que conservar las pocas fuerzas que le quedaban y pensar en cómo administrarlas y emplearlas de la mejor forma posible para salir de allí. Y bajo ningún concepto debía pensar en lo que sin duda pasaría si no lo conseguía...

El extraño ritmo acelerado de los latidos de Sarah cedió un poco cuando visitó a May tras las clases y le llevó algunos papeles para el instituto, tal como su amiga le había pedido.

—Hola, Sarah. Gracias por traerme las cosas. Entra sin miedo y siéntate. —May quitó un par de prendas de ropa de la silla y se la acercó a Sarah. Después sonrió—. ¿Y bien? ¿Alguna novedad en el Canyon High? ¿Algún cotilleo que no sepa? Anda, cuenta.

Sarah se sentó y se puso a juguetear con un mechón de pelo.

—Pues nada especial. Aunque... —Miró a May—. ¿No sabrás por casualidad si hay algo entre Jonathan y Carol?

May arrugó la frente pensativa.

—No, no que yo sepa... O sí, espera... Jonathan mencionó ayer a Carol de pasada. Dijo que quería ocuparse un poco de ella en el futuro. En fin, ya sabes cómo es.

Sarah rió.

—Vaya si lo sé —dijo en tono irónico.

May miró a Sarah enarcando las cejas.

—Decídete —dijo después y Sarah notó cómo le ardían las mejillas. Quizá sería mejor olvidar el asunto.

—¿Tienes algo de tiempo? —preguntó May tras una breve pausa—. Me gustaría continuar un poco con mi narración.

Sarah asintió. Aunque es cierto que las horas que pasaba con May la dejaban agotada, quería averiguar a toda costa cómo continuaba la historia. Al fin y al cabo, May aún no le había hablado de su relación con Simon. Sarah se inclinó hacia delante en su silla y miró a May a los ojos.

—Me preguntaba cómo te sentiste después de que vosotros... vamos, después de que te mordiera —dijo Sarah. Trataba de no imaginarse a Elizabeth y Dustin acostándose juntos y esperaba que May le ahorrase los detalles.

May reflexionó.

—Después de que Dustin hubiera bebido mi sangre ambos nos quedamos dormidos —dijo—. Y cuando un par de horas más tarde me desperté, sentí frío. Un frío terrible. Estaba tan helada por dentro como si paseara desnuda por la nieve. Pero el peor momento fue cuando descubrí que mi corazón ya no latía. Se había quedado mudo. Por fuera no se notaba nada, podía moverme normalmente, reír y llorar. Sin embargo, desde ese momento percibía de forma diferente todo lo que hacía y veía. Como si fuera falso. Como si solo viviera de un recuerdo. En fin, ese es el destino de un inmortal: mientras conserva sus recuerdos no pasa gran cosa. Solo cuando uno empieza a alejarse de su humanidad olvida quién era antes. Después te pasa lo que a Dustin, ya no puedes confiar en ti mismo.

—¿Y eso pasa por beber demasiada sangre humana? —preguntó.

May asintió.

—Tu odio hacia Dustin... Es porque te convirtió en inmortal, ¿verdad? —preguntó Sarah con voz queda.

May se quedó pensando para, poco después negar con la cabeza.

—No, nunca se lo reproché. Noté lo sorprendido y desesperado que se sentía. Ninguno de los dos sabía por qué no había funcionado, ni a quién de nosotros se debía. En ese momento vimos con claridad que no estábamos hechos el uno para el otro, porque teníamos la prueba. Y el saberlo fue un trago amargo. Hizo que nos separásemos y siguiéramos caminos diferentes. Como muestra de nuestra amistad nos regalamos el uno al otro un colgante en forma de gota de sangre. ¿Te acuerdas? Tú misma lo viste.

Sarah asintió.

—Debía recordarnos siempre quiénes éramos realmente y de dónde veníamos, que una vez fuimos personas con un alma y un corazón que latía de verdad. Prometimos regalar nuestros colgantes a aquellos que un día nos salvaran.

Sarah se acordaba bien de la piedra roja. Colgaba del respaldo de la silla de May, y Simon Wheet la llevaba al cuello en la foto que vio en su habitación. Eso significaba que para May había sido su gran amor. Pero antes de que pudiera salvarla alguien lo había asesinado. Sarah se estremeció. De pronto se acordó de que también Clara llevaba una piedra similar colgada del cuello cuando ya estaba muerta. Sarah había visto la foto de la muchacha en las noticias. Así que a Dustin también debía de haberle importado bastante Clara si le había regalado el colgante.

Sarah sintió una sensación de creciente malestar. Volvió a prestar atención a May.

—May, ¿qué les contaste a tus padres una vez supiste lo que te había pasado? —preguntó—. ¿Se lo explicaste? ¿Cómo reaccionaron?

May miró a Sarah a los ojos con terror, después se levantó con brusquedad de su silla y se asomó a la ventana. Contemplaba el exterior con la mirada vacía, y su pecho subía y bajaba agitadamente. Sarah no se atrevió a seguir preguntando. Se arrepentía ya de su curiosidad. Al fin y al cabo, ya había aprendido que a May no le gustaba que la sorprendieran. Pero antes de que a Sarah le diera tiempo a disculparse por su falta de consideración, May retomó la palabra. Sarah la miró con atención.

—Lo que les hice a mis padres entonces estuvo mal —dijo May con voz suave—. Después de mi transformación tenía la firme convicción de que no podía volver con ellos. ¿Cómo iba a contarles todo aquello? Veía ya el horror y la decepción en sus ojos. Para mí solo había un camino: no quería dejarlos en la incertidumbre cuando desapareciera, no debían preguntarse constantemente si me habían secuestrado, si estaba viva o muerta... —May tragó saliva y Sarah tuvo una mala sensación—. Me pareció que lo mejor sería simular mi muerte, como también Dustin había hecho en su día. —May se cubrió el rostro con las manos y Sarah miró a su amiga con incredulidad. Eso no podía ser cierto, le parecía horrible y cruel.

—¿Les hiciste creer a tus padres que estabas muerta? —susurró con voz ahogada.

May asintió.

—Entonces me convencí a mí misma de que de todos modos no me echarían mucho de menos, que al fin y al cabo en los últimos años no les había importado.

Pero... eso fue tan solo una excusa miserable para tranquilizar mi propia conciencia.

—¿Cómo...? Quiero decir, ¿cómo simulaste tu muerte?

—Dustin y yo dijimos a mis padres que antes de despedirnos daríamos una última vuelta en nuestro vehículo. Él lo incendió dejándolo caer por un desfiladero. Explotó. Nos dieron por muertos, quemados.

—¿Y tus padres? —preguntó entonces Sarah con la voz quebrada.

—No volví a intercambiar una palabra con ellos y me fui con Dustin a Estados Unidos... con nombre e identidad nuevos.

—¿Y nunca sentiste ganas de contarles la verdad?

La respiración de May se volvió acelerada y poco profunda. Sarah vio lo turbada que estaba.

—Sí, las sentí. De hecho muchas veces pero, sencillamente, no podía. Estaba demasiado avergonzaba por aquel horrible acto.

Las lágrimas surcaban las mejillas de May y su delgado cuerpo temblaba. Sarah guardó silencio. Sabía que no había palabras de consuelo para eso.

Dustin volvió a resbalar. Ya apenas sentía las manos y su pierna cedía una y otra vez. Con esa herida y sin ayuda no conseguiría salir de la fosa. Estaba atrapado, habían aplanado y endurecido demasiado las paredes lodosas de la trampa y no podía encontrar suficiente apoyo para subir por ellas. Aquí había trabajado alguien inteligente y meticuloso, y cuanto más tiempo pasaba, más convencido estaba Dustin de que no habían construido esta trampa para animales, sino que tenía otro objetivo... y que lo habían alcanzado. Aquí se moriría de sed, gemiría de hambre hasta que finalmente quedase de él tan solo una miserable criatura, ya sin fuerza alguna, fea como la noche, ni muerta ni viva. Y entonces... entonces aparecería ELLA y disfrutaría de la escena. Probablemente lo observaba desde hacía ya tiempo, había sido testigo de su infructuoso intento de fuga y contemplaría el espeluznante espectáculo de su degeneración, satisfecha y sonriendo. Disfrutaría cuando Dustin se fuera transformando poco a poco en un monstruo horrible, hasta que sus ojos fueran ya solo huecos negros, su carne se hundiese y su piel se tensase pálida y enflaquecida sobre los huesos. No faltaba mucho para que alcanzase ese estado. Dustin había consumido mucha energía tratando de salir, y ahora notaba cómo su estómago comenzaba a exigir alimento. Quizá podría ganar un poco de tiempo si cerraba los ojos e intentaba dormir para ahorrar fuerzas. Pero estaría perdido si en dos o tres días, como mucho, no caía por azar en la trampa una criatura tan tonta y débil como él mismo.

May lloró hasta que se le acabaron las lágrimas.

—¿Prefieres que me vaya? —preguntó Sarah en voz baja, pero ella negó con la cabeza.

—No —dijo—. Al fin y al cabo, yo misma decidí hablar de ello.

Se pasó la mano por los ojos con resolución y continuó con su relato.

Para su nuevo comienzo Elizabeth escogió California. Dustin había ido a San Francisco y al principio hablaban mucho por teléfono. Intercambiaban sus experiencias y todo cuanto la inmortalidad les iba revelando paulatinamente.

—Aléjate de la sangre humana, Elizabeth —le insistió Dustin—. Uno cambia en cierto modo, eso lo noté tras... tras lo nuestro —contó nervioso—. Cuando mi corazón dejó de latir, me sentí diferente a como era antes... como si hubiera perdido u olvidado algo. Ayer, por ejemplo, una anciana que no conocía me sonrió, así, por las buenas. Quería devolverle la sonrisa, pero me costó un enorme esfuerzo. No lograba acordarme de cómo se hacía. Eso... eso es nuevo, Elizabeth...

ELLA no me avisó de lo peligrosa que podía ser la sangre humana ni de lo intenso que era el deseo después. Me ocultó la verdad a propósito. La mataría si aún tuviera un corazón.

Elizabeth escuchaba las palabras de Dustin asustada.

—A veces, cuando entiendo lo que significa la eternidad me entra el pánico —continuó Dustin—. Es como si me encontrase en un túnel oscuro y corriera y corriera para volver a llegar a la luz, pero el túnel no se acabara nunca. Me siento como un prisionero del infinito. ¿Y te puedo hacer una confesión, Elizabeth? Envidio a todos los que han encontrado el amor. A todas esas parejas que vemos cada día pasear abrazadas por la calle, tranquilamente, de forma tan natural, como si el amor fuera algo que se pudiera comprar en el supermercado. ¿Por qué ellos pueden experimentarlo pero a nosotros no se nos concede la oportunidad? A veces me apetecería lanzarme sobre ellos y separarlos a la fuerza —dijo con amargura—. Desearía que llegaran a sentir algún día lo que nosotros tenemos que soportar a diario. Este anhelo de amor y al mismo tiempo ese terrorífico miedo a fracasar...

La voz de Dustin estaba tan llena de odio que Elizabeth sintió un escalofrío recorrerle la espalda. El muchacho que había conocido en Italia no era el mismo.

La comprensión de que la eternidad no era ninguna broma y que no soltaba con facilidad a sus presas, lo había amargado.

—Nuestro camino es diferente, Dustin. No nos podemos permitir jugar con el amor —dijo en tono tranquilo—. Puede que no sea justo, pero no podemos hacer nada contra eso. No debes dejar que te dominen los pensamientos sombríos, es peligroso.

Elizabeth notaba que a Dustin apenas le llegaban sus palabras. Sus sentidos estaban como cubiertos por oscuras sombras. Cuanto más reflexionaba sobre ello, más se convencía de que no podía ayudarlo. Por ese motivo, días después tomó una decisión.

—Dustin, espero que lo entiendas —le dijo en su siguiente conversación—, pero prefiero que no me vuelvas a llamar por ahora. No me hace ningún bien. Tengo que aprender a encontrar mi propio camino en la eternidad... ¿Dustin?

—Sí, yo... lo entiendo —contestó Dustin tras una breve vacilación—. Tal vez sea mejor así. Lo siento muchísimo, Elizabeth. Desconozco qué fue mal entre nosotros en aquel momento. Y me gustaría poder dar marcha atrás en el tiempo y deshacerlo todo. Pero el tiempo avanza sin cesar... Quizás en el futuro otro consiga hacerte feliz... y devolverte a la vida.

—No estoy segura de querer correr ese riesgo —respondió Elizabeth—. No me gustaría volver a sentir una decepción como la de entonces. Y yo tampoco quiero decepcionar a nadie.

Dustin guardó silencio. Elizabeth esperó a que dijera algo, pero no hubo nada más. El clic cuando colgó el teléfono fue lo último que supo de él en muchísimo tiempo.

Capítulo 11

—¿Te parece bien que demos un paseo? —preguntó Sarah cuando vio los ojos cansados de May—. Creo que a ambas nos vendría bien un poco de aire fresco, ¿no te parece?

May asintió y ambas se pusieron sus abrigos.

En el exterior la temperatura era muy agradable para estar a finales de octubre y Sarah aspiró con fruición el aire otoñal.

—Mejor que no vayamos al bosque —dijo May—, ahora mismo no soporto ese lugar.

Sarah se encogió de hombros. Quizás era incluso mejor que May se mantuviera alejada del Canyon Forest. Siempre había tenido la certeza de que Dustin es-

taba allí, en algún lugar, y si May se lo encontraba...
¿Quién sabe cómo reaccionaría?

Salieron de la residencia y caminaron un rato a través de la urbanización colindante, y después giraron a la derecha hacia una senda que pasaba por delante de algunas granjas y pastos para caballos.

Sarah observaba a May de reojo. Seguía sin lograr imaginarse que en el pecho de esa bonita muchacha rubia no latiera un corazón. ¿Cuánto tardaría May en hablarle de Simon? Simon, quien al parecer había sido su gran amor y al que le habían arrebatado de una forma tan horrible. Sarah caminaba junto a su amiga en silencio y esperaba pacientemente a que continuara la historia.

A Elizabeth le gustó Chicago enseguida. Tenía la certeza de que la ciudad, con su amplia y densa red de calles, agua y parques, la acogería con delicadeza y discreción, que la protegería sin ahogarla. Allí volvió a apetecerle salir a la calle, observaba lo que ocurría a su alrededor, encandilada, y resurgía una leve huella de lo que había sentido casi veinte años atrás en Italia, un sentimiento que en los últimos años casi había olvidado.

Era ya hora de cambiar de ciudad. California, su último trabajo en el archivo de un museo de historia natural y la gente que había conocido la habían aburrido y últimamente se había despertado con el primer asomo de pánico, algo semejante a lo que Dustin le había descrito. Pánico a la eternidad que nunca acababa. Elizabeth había recordado las coléricas y deprimentes palabras de Dustin y había decidido hacer algo antes de que esos oscuros pensamientos se apoderasen de ella.

Hizo las maletas, fue al aeropuerto y compró un billete para el primer avión que saliera con plazas libres. Así había acabado en Chicago, había bajado del avión y había sabido que ese entorno tan diferente la ayudaría a distraerse.

Elizabeth se inscribió en un pequeño instituto a las afueras de la ciudad: el Blossom High. El primer día de clase sentía una agitación increíble. En los últimos años había estado evitando la escuela. No hubiera podido soportar a esos muchachos riendo y haciendo ruido, que desperdiciaban su valioso tiempo con tonterías. En vez de eso había ido tirando como bibliotecaria y empleada en polvorientos archivos. Pero allí quería intentarlo. De momento sentía la fuerza y el ímpetu necesarios para atreverse a estar entre la gente de nuevo. Solo debía seguir teniendo cuidado para no ponerse en peligro ella misma o a otros.

Tras el saludo del director, a cada uno de los nuevos se le asignó un tutor de un curso superior, que se ocuparía de ellos y les facilitaría los comienzos en el instituto. Elizabeth se llevó un susto cuando conoció al que le asignaron. En un primer momento pensó que Dustin estaba ante ella. La postura erguida, la estatura, la cara proporcionada y el pelo oscuro... Pero al fijarse mejor vio que sus ojos eran de un verde clarísimo e irradiaban tal transparencia que tuvo la impresión de que podía ver su alma a través de ellos.

—Hola, me llamo Simon. Simon Wheet.

Se estrecharon la mano y se sonrieron. En ese momento Elizabeth olvidó su propósito de seguir manteniendo las distancias y no enamorarse bajo ningún concepto. Sucedió, sin más. Se enamoró a primera vista y supo que no tenía ningún sentido resistirse. Sus esfuerzos hubieran sido en vano, su voluntad demasiado débil. Su amor hacia Simon aumentaba cada día y tras unos meses decidió contarle la verdad sobre ella y su pasado. Simon la escuchó, con su oído sobre el pecho mudo de Elizabeth. Después no volvieron a hablar de ello durante mucho tiempo, aunque sabía que Simon llevaba la verdad en su corazón, que conversaba con ella en secreto, le formulaba preguntas y escuchaba las respuestas. Fue muy cuidadoso, dialogaron hasta conocerse en profundidad y ya no se interponía nada entre ellos; la verdad se convirtió en una parte del propio Simon. Y, finalmente, dieron el siguiente paso, el paso decisivo.

Elizabeth fue la primera en despertarse. Abrió los ojos con mucho cuidado, y los entornó al sentir los primeros rayos de sol que se filtraban a través de las persianas. Era de día. El día después. Inmediatamente recordó todo lo que había pasado el día anterior, y aunque un par de horas atrás había experimentado un éxtasis de seguridad, en el que no cabían miedos ni dudas, la asaltó un mal presentimiento y notó cómo su cuerpo y su recién despertado corazón se preparaban temerosos ante el resultado de lo sucedido.

La noche anterior Simon y ella habían regresado agotados y felices de una excursión al puerto, llenos de alegría, de nuevas impresiones y de pequeños pero valiosos instantes. Después, cuando estaban en la cama de la habitación de Simon, habían bebido algo, tonteado y finalmente se habían abrazado con fuerza y besado con gran pasión; había sido Simon quien de pronto la había mirado con ojos serios.

—Ha llegado el momento —le había dicho con voz suave mientras le colocaba delicadamente un mechón detrás de la oreja. No había necesitado preguntar. Elizabeth sabía a lo que se refería. Le había devuelto la mirada, tranquila y sin dudas... y finalmente había asentido en silencio.

Se desvistieron entre caricias y se amaron sin inquietud y sin miedo, ni siquiera malgastaron un instante en pensar en lo que vendría después. Solo existía el presente, el aquí y ahora, sus cuerpos entrelazados, su respiración, su complicidad. Simon apenas sintió el breve y punzante dolor en su cuello entre los besos de Elizabeth y, así, su roja calidez había fluido hacia la muchacha en un instante de estrecha cercanía y entrega mutua.

Solo ahora que Elizabeth estaba despierta, su corazón latía vigoroso en su pecho, con miedo y al mismo tiempo lleno de esperanza. Lentamente se volvió hacia el muchacho que dormía a su lado, que respiraba de forma casi imperceptible y calmada. Con cuidado alargó su mano hacia él, pero antes de que pudiera tocar su pecho Simon abrió los ojos. Elizabeth interrumpió el gesto, sobresaltada. Simon miró a su alrededor, buscando, comprobando, parecía estar escuchando su interior. Finalmente se volvió hacia ella... y sonrió.

Elizabeth se cubrió la cara con las manos, aliviada. De sus ojos brotaron lágrimas cálidas y brillantes, que cubrieron sus mejillas. Se lanzaron el uno hacia el otro, se abrazaron con fuerza, pecho con pecho, corazón con corazón.

Sarah miró a May, abriendo mucho los ojos cuando comprendió el significado de sus palabras. Su propio corazón latía con vigor impelido por la agitación y no pudo evitar que un llanto silencioso se derramara por su rostro

—Funcionó... —murmuró con incredulidad—. Contigo y Simon funcionó. Vuestro amor era auténtico, tú... tú volviste a ser una persona, tu corazón late... —Sarah estaba perpleja y no pudo refrenar su emoción, abrazando a May, como si acabase de renacer allí y en ese mismo momento.

May asintió sonriendo cuando Sarah la soltó de nuevo.

—Sí —dijo con voz suave—, nuestro amor era lo bastante fuerte. Simon me devolvió a la vida.

Las muchachas continuaron andando. La grava crujía bajo sus zapatos. Sarah seguía sin poder creérselo. Nunca se le hubiera ocurrido que Simon fuera el artífice de la salvación de May. El hecho de que el amor que se profesaban hubiera sido más grande y poderoso que la eternidad, le proporcionaba un milagroso sentimiento de consuelo. Así pues, era posible, existía la esperanza de encontrar un camino de vuelta desde el torbellino del tiempo, desde aquel túnel oscuro que no parecía tener fin. Y si May lo había encontrado, entonces, en teoría, también Dustin podía hacerlo. No podía dejar de creer en ello, y no podía volver a equivocarse en sus sentimientos por alguien: era algo que Sarah había comprendido perfectamente. El amor se había transformado para Dustin en una esperanza lejana y peligrosa, que podía devolvérselo todo o arrebatarle el último resto de sí mismo.

Miró de manera furtiva a May. De nuevo experimentaba un sentimiento de respeto hacia ella. Admiraba la fuerza y el coraje de su amiga, su fe en sí misma y en el amor de otro. Pero al comprobar la tristeza de su mirada sintió una dolorosa punzada en el corazón. Sarah sabía que la historia de May había llegado al punto culminante que, en apariencia, conducía al feliz desenlace de un drama, pero que encubría en realidad un final diferente. Simon estaba muerto. Lo habían asesinado, se lo habían vuelto a arrebatar a May.

Sarah miró al suelo. Una ráfaga de aire frío la hizo temblar. El ambiente le resultaba opresivo. Tras un par de minutos de silencio, May retomó la palabra:

—Los meses siguientes fueron los más bonitos de mi vida. Simon y yo sabíamos que estábamos hechos el uno para el otro. Lo que nuestro amor había conseguido era la prueba de ello. Era como un regalo del cielo, casi increíble. Perfecto. Y quizá demasiado bonito para ser verdad y para durar.

Sarah se dio cuenta de que May había llegado lentamente al punto de inflexión de su historia, mientras ella misma lo percibía en su corazón, contraído con dureza al pensar en lo que iba a venir.

—En la época que pasé con Simon pensé a menudo en Dustin —continuó May—. Me preguntaba cómo estaría, si seguiría teniendo los mismos pensamientos sombríos o si también él habría vivido algo que le diera esperanza o le devolviera la fe en sí mismo. Intenté localizarlo en su última dirección. Me hubiera gustado tanto hablarle de Simon y de mí, de lo felices que éramos y demostrarle que se podía encontrar el amor verdadero. Pensaba que así le animaría, pero no tuve suerte. En su antigua casa ya no pude localizarlo, su número de teléfono pertenecía a otra persona y no tenía ni idea de dónde podía esconderse. No sabía si aún vivía en Estados Unidos o si había vuelto a Europa, o si huía de nuevo de Emilia.

El corazón de Sarah latía sin control. Sabía que faltaba poco para que le contara algo terrible, que sobrepasaba lo que se había relatado en los medios sobre la muerte de Simon. Sentía un fuerte zumbido en los oídos y las palabras de May le llegaban como de muy lejos.

—Dos veces me pareció ver a Dustin en Chicago —prosiguió May—. Una en un autobús que pasó por delante de mí, y otra, poco antes de la muerte de Simon, en las escaleras mecánicas de unos grandes almacenes abarrotados, acompañado por una bonita muchacha rubia. —May hizo una pausa. Parecía nerviosa, al revivir los días anteriores a su gran desgracia—. No estaba segura —continuó—. Fueron solo unos segundos en los que me pareció reconocer la cara de Dustin. Podría haberme equivocado. E incluso después de... —La voz de May comenzó a temblar, al igual que sus párpados. Sarah le puso una mano en el hombro, pero May se zafó. Parecía querer dejar atrás de una vez aquel horrible acontecimiento. Contuvo las lágrimas y continuó caminando a paso rápido, con la mirada fija en el horizonte. Sarah tenía que esforzarse para seguirle el paso.

—Incluso después de que encontrasen el cuerpo de Simon —su cuerpo exangüe con aquella inequívoca herida en el cuello—, incluso entonces ahuyentaba siempre la idea de que pudiera haber sido Dustin. —May se detuvo bruscamente y miró a Sarah con desesperación—. No quería que fuera él, ¿entiendes? —dijo, elevando la voz—. No quería que Dustin fuera el asesino de mi gran amor. Precisamente él. Yo había confiado en él, incluso le hubiera deseado esa felicidad de volver a encontrarse a sí mismo. —May jadeaba y un temblor sacudía todo su cuerpo.

Sarah estaba junto a ella y se sentía impotente, sin saber cómo reaccionar ni qué hacer para calmar a su amiga.

—Pero en algún momento entendí que solo podía haber sido él —continuó al fin May—. Y no tardé demasiado; lo supe cuando aparecieron las imágenes de Clara en la televisión. Era la muchacha con la que había visto a Dustin en los grandes almacenes. Y además, ¡llevaba el colgante! Se lo había regalado antes de... asesinarla. Nuestro símbolo. Debía recordarnos nuestra humanidad y él lo profanó.

May se apartó el pelo de la cara con manos temblorosas y trató de serenarse. Respiró hondo con los ojos cerrados antes de continuar, ya más tranquila.

—Tras la muerte de Simon se me cayó el mundo encima. No sabía qué hacer. Deseé que mi corazón enmudeciera de nuevo, como antes, para que no me doliera día tras día, ni me recordase a Simon con cada latido. Me hubiera gustado arrancármelo del pecho. —May avanzaba ya un poco más despacio, con el rostro vuelto hacia el otro lado—. Una compañera de clase me convenció para que me incorporara a un grupo de apoyo que se reunía los fines de semana en el Blossom High. Al principio no quería, pero al final me decidí a probarlo. Ni idea de por qué lo hice. Tras un par de sesiones vino Jonathan. Era de Rapids, pero se había quedado en casa de unos amigos de Chicago unas semanas. Había perdido recientemente a sus padres en un accidente de tráfico.

Desde el principio nos entendimos sin necesidad de muchas palabras.

Sarah miró a May, sorprendida. Si bien era cierto que May le había contado que Jonathan y ella se habían conocido en algún curso, desconocía los detalles. Ni May ni Jonathan habían hablado nunca de un grupo de apoyo ni tampoco de que Jonathan hubiera perdido a sus padres. A Sarah se le hizo un nudo en la garganta. De pronto la abrumó su mala conciencia. Había pensado que era la única persona con problemas, sin darse cuenta de que casi todo el mundo llevaba algo a cuestas, y detectarlo era solo cuestión de observar con más atención: Anna, a la que su padre había abandonado y decepcionado; May con su inconcebible pasado y, ahora; también Jonathan, un aparente optimista sin remedio.

—Yo... no tenía ni idea de lo de los padres de Jonathan —balbuceó.

—Ya lo sé —May asintió—. Nos prometimos mutuamente no contarle a nadie el pasado del otro; yo no debía hablar sobre la muerte de sus padres ni él contar que yo era la novia de Simon Wheet, el muchacho al que habían asesinado. Pensamos que así sería mejor y que nos ayudaría a arreglárnoslas en el día a día. —May se encogió de hombros—. No fue nada fácil. Pero sentaba bien tener a alguien cerca que te entendía. A veces, cuando el recuerdo amenazaba con apoderarse de mí, bastaba una mirada de Jonathan para que me sintiese mejor.

—¿Así que viniste a Rapids siguiendo a Jonathan? —preguntó Sarah, aunque ya conocía la respuesta.

May asintió.

—Sí —respondió—. En Chicago no había ya nada para mí, aparte de un montón de recuerdos que me hacían daño. Al principio pensé que había sido una buena idea venir al Canyon High. Me gustó el instituto y resultaba práctico que pudiera vivir en el propio recinto de la escuela. Y cuando además te conocí a ti, pensé que quizá tenía una nueva oportunidad. Tal vez encontraría por fin una amiga de verdad. —May miró a Sarah a los ojos—. Pero entonces... entonces apareció Dustin. En un momento en el que yo ya no tenía ninguna duda de que había asesinado a Simon. Os mirasteis en el salón de actos y supe que sucedería una nueva desgracia. Lo único que pensé fue: «Por favor, Sarah no, no alguien tan cercano a mi corazón, otra vez no».

Dustin afirmaba que no sabía nada de mí ni de mi presencia en Rapids. Y negó que hubiera asesinado a Simon. Que Clara había caído en sus brazos lo tuvo que admitir aunque a regañadientes, porque el colgante era prueba suficiente. —Sarah sintió cómo la desesperación crecía en su interior. No quería creer nada de aquello. Su corazón se resistía a las afirmaciones de May.

—Pero no tienes ninguna prueba de que Dustin haya matado también a Simon —dijo—. ¿Qué motivo tendría para hacerlo? ¿No te deseó incluso que encontrases a alguien que te hiciera feliz? —Sarah notó lo miserables que sonaban sus palabras para defender a Dustin.

May rió con amargura.

—Ya, es cierto, eso mismo dijo él. Pero yo me acuerdo mucho mejor de sus comentarios sobre los felices enamorados y de su voz llena de odio al decirlo.

—Pero él no era así cuando yo lo conocí —repuso Sarah—. Me pareció distante, eso es verdad. Cauteloso, porque no quería volver a cometer un error... Pero no estaba ciego de odio; ¡solo con respecto a Emilia, porque fue la causante de su desgracia!

Los ojos de May brillaban.

—Te tiene atrapada hasta la médula, Sarah, es evidente. Has escuchado mi historia y yo me mantengo firme en mi opinión. Dustin es peligroso y no lo digo porque envidie tu felicidad. Todo lo contrario: quiero prevenirte antes de que pase algo terrible. Pero no puedo protegerte de tu propia estupidez. Ahora sabes todo lo que viví con Dustin y lo que me sucedió. No te he ocultado nada, no hay más que contar.

Sarah negó con la cabeza.

—No soy tan crédula ni ciega como dices, May, solo intento comprender todo el...

—Si sigues queriendo creer en la inocencia de Dustin, es cosa tuya —la interrumpió May con brusquedad—. Pero de algo estoy segura; en aquel momento me fui de Chicago porque pensaba que, en cualquier caso, no podría cambiar las cosas. Estaba convencida de la inutilidad de buscar a Dustin, hacerlo confesar o vengarme de él. Simon estaba muerto y nada en el mundo le devolvería la vida. Incluso me persuadí a mí misma de que no era culpable de la transformación en la bestia en que se había convertido. Que la eternidad lo había atemorizado, y que en realidad era digno de compasión... Pero tras la muerte de Anna ya no pienso así. Y menos ahora, que me doy cuenta de lo mucho que te ha afectado también a ti. Nunca dejará de asesinar ni de causar desgracias. Y te juro que si se le ocurre regresar alguna vez, encontraré algún modo de detenerlo. ¡Lo encerraré, lo mataré de hambre y lo incapacitaré para volver a hacerle daño a un ser vivo! Se transformará en una horrible y miserable criatura que vegetará durante toda la eternidad, hambriento de sangre y sin ninguna fuerza ni esperanza.

May había cerrado los puños y sus ojos echaban chispas. Después se volvió bruscamente y se alejó.

Sarah la observó horrorizada mientras desaparecía de su vista. Entonces, se deslizó hasta el suelo.

—¡No! —gritó y se cubrió la cara con las manos—. ¡No, no, no! —exclamó, golpeando con los puños en la tierra. Pero por mucho que se resistiese a admitirlo, la historia de May hablaba claramente en contra de Dustin. Sarah se sintió abandonada, desvalida.

«¿Dónde te has metido, Dustin?», clamó en silencio. «¿Por qué no me haces ninguna señal? ¿Por qué has desaparecido si eres inocente? Porque eres inocente, ¿no?»

Sarah esperaba que su corazón le respondiese con un claro «Sí». Pero este vacilaba en su respuesta...

Dustin llevaba un rato con los ojos cerrados e intentaba pensar en otro lugar para olvidar esa oscura estrechez. Pero incluso Montebello, la espléndida mansión entre los viñedos que rodeaban Florencia, en la que había pasado casi veinte años felices, se le aparecía en la memoria cubierta por un velo oscuro: SU sombra...

Dustin levantó la cabeza y miró hacia el cielo y las copas de los árboles. Ya estaba anocheciendo. Ojalá Sarah no volviera a salir a buscarlo, pues estaba seguro de que caería en SUS garras.

—Sarah, por favor, ten cuidado —susurró Dustin y sus palabras se perdieron en las paredes de barro. Sarah debía de pensar que había desaparecido sin más de su vida, sin dejarle ni un mensaje. Y él no tendría ninguna oportunidad de darle las gracias por ese precioso momento en el que le había llenado el cuerpo con un sentimiento de humanidad y plenitud, aun sin latidos ni sangre. A cambio le perseguiría por toda la eternidad el horrible pensamiento de que ella lo consideraba un tipo sin escrúpulos para quien nada había ya sobre la Tierra que fuera valioso y precioso, y sobre cuya conciencia cargaba quizá también a Anna...

Dustin rió con amargura. De hecho, ELLA había encontrado el mejor momento y el método más brutal para torturarlo. Su paciente espera llegaba a su fin y podía ya declararse triunfadora. Los ojos de decepción de Sarah, las muchas preguntas sin respuesta, la duda en su rostro delicado y desesperado... Esas imágenes se le quedarían grabadas en la memoria, lo corroerían y torturarían por toda la eternidad.

Con una sensación de melancolía, Dustin palpó buscando la carta en el bolsillo. ¡No estaba!

Capítulo 12

Sarah emprendió el camino de vuelta al instituto. Estaba agotada y triste, y le hubieran hecho falta un par de palabras de consuelo de alguien en quien pudiera confiar, que le asegurase que todo se arreglaría. Por un momento pensó en visitar a Jonathan, pero después se acordó de su cita con Carol. Dentro de dos horas iría a recogerla. Y Sarah no tenía ganas de estar escuchando hasta entonces lo genial y *sexy* que era Carol. Si se afianzaba su relación de pareja, Jonathan apenas tendría tiempo para Sarah en el futuro. Así que estaría completamente sola. Solo con pensarlo estaban a punto de saltársele las lágrimas. Le caía bien Carol y también Jonathan, pero aun así no quería que estuvieran juntos.

Solo entonces Sarah se dio cuenta de cuánto habían caminado May y ella. Estaba ya atardeciendo cuando al fin abrió la puerta de su vehículo y enfiló la salida del aparcamiento. Cuando giró para entrar en su calle, comprobó con sorpresa que el Chrysler de Jonathan estaba aparcado a un lado de la calle, enfrente de su casa. Dejó su Beetle justo detrás y se apeó.

—Hola, Sarah. —Jonathan salió a su encuentro y la miró, radiante—. Acabo de llamar al timbre en vuestra casa, pero no hay nadie.

—No, mi madre todavía está en el trabajo. —Sarah observó a Jonathan y volvió a sentir ese extraño hormigueo en el estómago—. ¿Qué haces aquí? Pensaba que tenías una cita con Carol. —Sarah no pudo ocultar cierta acidez en su voz.

Jonathan se sorprendió y a continuación sonrió.

—Bueno, una cita quizás es mucho decir... Íbamos a comer algo por ahí. En todo caso, tuve que cancelarlo porque me surgió un asunto.

Sarah asintió. Tenía que confesarse que sentía un gran alivio.

—¿Puedo entrar?

—Claro, si tienes tiempo... —Sarah fue delante. Una vez en la puerta percibió la presencia de Jonathan detrás de ella, muy cerca. El roce de su aliento cálido en la nuca hizo que le temblasen los dedos al sacar la llave y abrir. Pero ¿qué le pasaba? Ya había estado muchas veces a solas con Jonathan, ¿por qué esta vez se había puesto nerviosa como... como antes de una cita?

—De hecho, te escribí un SMS preguntándote si podía pasar un momento —dijo Jonathan—, pero sin respuesta. En fin, pasaba por aquí cerca y se me ocurrió probar suerte.

—Estaba paseando con May —contestó Sarah—. Me olvidé el teléfono móvil en el vehículo.

Jonathan echó una ojeada curiosa y señaló una foto colgada en la pared del pasillo que mostraba a Sarah cuando era una niña.

—¿Eres tú? —preguntó.

—Sí, cuando tenía cuatro años.

—Y ya tan preciosa como ahora.

Sarah sintió cómo se ruborizaba y condujo rápidamente a Jonathan a la pequeña cocina. Encendió la luz.

—Es increíble —murmuró mirando por la ventana—. No son aún ni las cinco y media y ya está tan oscuro que apenas se distingue nada fuera. ¿Quieres algo de beber? ¿Gaseosa? ¿Un refresco de cola?

Jonathan se encogió de hombros.

—Me da igual.

Sarah le acercó una lata de bebida de cola y se sentaron a la mesa frente a frente. Ninguno de los dos parecía saber muy bien a dónde mirar ni qué decir.

—Pues nada, yo... en realidad solo quería preguntarte si todo va bien —dijo Jonathan. Sarah lo miró con expresión interrogante—. Vamos... —Jonathan parecía tener que hacer un esfuerzo para seguir hablando—. Quiero decir con respecto a Dustin.

Sarah se estremeció.

—No entiendo... —balbuceó—. ¿A qué te refieres con eso?

—A nada en concreto, solo pensaba que... Espero que no te pongas en peligro porque creas que tienes que ir a buscarlo —dijo finalmente Jonathan con gran esfuerzo.

Sarah tragó saliva, el corazón le iba a mil.

—¿Dónde... iba a buscar a Dustin, en tu opinión? —preguntó.

Jonathan se encogió de hombros.

—No sé, a veces uno cree ver indicios precisamente porque los está buscando —dijo—. Y cuando se está enamorado, las cosas se suelen interpretar como a uno le gustaría que fueran. Y así es fácil meterse en un callejón sin salida.

Sarah miraba fijamente a Jonathan. ¿A qué se refería? Hacía nada que le había desconcertado por completo con sus visiones aterradoras. Y de pronto una idea le atravesó la mente: ¿sabría Jonathan que había ido al bosque a buscar a Dustin? ¿Quizás él también había leído ese estúpido artículo del periódico y se figuraba que Sarah era la muchacha con la que se habían cruzado los policías?

—Tendré cuidado, Jonathan, es todo lo que te puedo prometer —le insistió Sarah mirándole fijamente a los ojos.

Jonathan asintió. A Sarah le pareció que estaba cambiado. Quizás era por su barba de tres días, que le daba un nuevo aspecto. O quizá también porque no sonreía como solía... Fuera lo que fuese, Jonathan parecía de pronto mayor de lo normal, menos juvenil.

—May me contó hace poco que tuvisteis una pequeña discusión —dijo Jonathan cambiando de asunto—. ¿Lo habéis arreglado ya?

—Sí, no fue nada grave. Tanto May como yo somos bastante testarudas —dijo Sarah.

—No... no le habrás contado a May nada de nuestra conversación, ¿verdad? —preguntó Jonathan con desconfianza.

Sarah negó enérgicamente con la cabeza.

—No, te lo prometí —dijo—. Y además ya me había contado ella antes su historia con Simon.

Jonathan alzó las cejas con incredulidad.

—¿En serio? ¿Te contó lo que pasó?

Sarah asintió.

—Sí, se ve que sintió la necesidad de hacerlo. Pero por desgracia me parece que lo que le ocurrió la afectó tanto que desde entonces solo ve desgracias y muerte por todas partes. Ya no cree en la suerte, tampoco en la ajena.

Jonathan la miró con expresión interrogante.

—¿A qué te refieres exactamente? ¿A la suerte en el amor?

Sarah respiró hondo.

—Sí.

—Y al decirlo sigues pensando en Dustin, ¿no es cierto?

Sarah vaciló, luego asintió y Jonathan desvió la mirada con tristeza. Así que habían vuelto a llegar a Dustin.

—Sarah, ¿por qué estás tan segura de que él te haría feliz? —preguntó de pronto Jonathan, insistiendo—. Y, ¿estás absolutamente convencida de que lo quieres? ¿Crees que puedes querer a alguien como Dustin? Alguien que desaparece sin más, sin decir dónde va... ¿O quizá solo te atrae porque se muestra tan inaccesible y misterioso, tan diferente a los demás?

Sarah miró a Jonathan atónita. Pero ¿qué se creía? ¿Cómo se atrevía a hacerle semejantes preguntas a la cara? Se estaba comportando de un modo cruel e insensible. El corazón le latía con fuerza y jadeó un par de veces. Quería gritarle a Jonathan, quería decirle: «Sí, estoy segura de que lo que hay entre Dustin y yo es auténtico», pero no lo hizo. Abrió la boca, pero las palabras no querían salir de sus labios. En vez de eso, todo a su alrededor parecía desvanecerse de repente: la mesa, el aparador de la cocina, las paredes, el suelo bajo sus pies. Le daba la sensación de que todo su interior se descolocaba. Todos sus sentimientos, pensamientos y preguntas se confundían en un caos impenetrable y oscuro. Solo un deseo, una súplica brillaba y brillaba con claridad entre todo el caos, como una señal de emergencia:

«Por favor, libérame de este asfixiante pantano de dudas y esperanzas. Quiero volver a ser feliz de una vez, solo eso, solo feliz».

La mirada de Sarah fue vagando hasta Jonathan, que estaba sentado frente a ella. En ese momento le pareció lo único verdadero y auténtico en ese confuso caos. Y resultaba tan cercano, tan accesible... Sarah sintió crecer dentro de sí una calidez que le consolaba y acariciaba, que incluso le susurraba aquellas palabras que tanto anhelaba: ¡todo se arreglará!

Se levantó y sus pies la llevaron hasta colocarse delante de Jonathan, muy cerca de él. También él se levantó y la miró sonriendo. Lentamente le acercó la mano, le tocó los labios, las mejillas, el cuello... Sarah cerró los ojos. No quería pensar, solo sentir. Notaba la cercanía de Jonathan, su aliento. Un agradable escalofrío le recorrió el cuerpo cuando él le rodeó la cintura con el brazo y la acercó aún más hacia sí. Sarah pestañeó, poco a poco él iba acercando su cara a la de ella. Lo miró a los ojos y... una punzada fría y dolorosa le atravesó el corazón. Se alejó de Jonathan como si un rayo hubiera impactado sobre ella. Su corazón golpeaba contra su pecho sin piedad. ¿Qué pasaba allí, qué le sucedía? Sarah sintió un mareo, como si alguien o algo la hubiera arrancado con violencia de un sueño. Tuvo que apoyarse en la mesa para no caerse al suelo.

—Sarah, ¿qué ocurre? ¿He hecho algo mal? —La voz de Jonathan se abría camino imprecisa y lejana hasta ella, y su rostro preocupado se desvanecía por momentos ante sus ojos.

Sarah no lograba pensar con claridad.

—Yo... Jonathan, lo siento, no pretendía... Yo... —No encontraba ninguna palabra que explicase su comportamiento, ni ella misma entendía lo que le acababa de pasar. Pero sabía que en ese momento quería estar sola. —Por favor, vete, Jonathan.

—Sarah, estás temblando. Pero ¿qué te pasa?

—Nada, de verdad. Es solo que mis emociones son ahora mismo un caos y... de pronto ¡tengo tanto frío!

Jonathan se acercó a Sarah e hizo ademán de rodearle los hombros con el brazo, pero ella se apartó.

Se oyeron pasos en el pasillo. Poco después se abrió la puerta de la cocina. Hacía tiempo que Sarah no se sentía tan aliviada por ver a su madre.

—Vaya, ¿molesto? —En un primer momento pareció sorprendida de que Sarah tuviera visita. A continuación le alargó la mano a Jonathan—. Hola, soy Laura Eastwood, la madre de Sarah.

—Encantado. Soy Jonathan.

—¡Ah, es verdad!, Sarah me ha hablado de ti. Me alegro de que hayas venido. ¿Quieres quedarte a cenar con nosotras?

¡Oh, no, ahora esto! «Mamá, ¿por qué tienes que entrometerte siempre en mis cosas? Por favor, para», suplicó Sarah en silencio.

—Gracias, muy amable, pero... por desgracia, tengo que irme ya —respondió Jonathan mirando de reojo a Sarah con inseguridad—. Ya tenía planes y solo quería quedarme unos minutos. Ha sido un placer conocerla, señora Eastwood... Sarah, hasta pronto entonces. ¡Cuídate! —dijo, encaminándose hacia la puerta.

—Sí... nos vemos —contestó Sarah con voz débil y sintiendo cómo se le quitaba un peso de encima.

Cuando la puerta se cerró se dejó caer agotada sobre la silla y, congelada, se rodeó el cuerpo con los brazos.

—Qué joven tan simpático —dijo la madre de Sarah impresionada—. ¿Tenía que irse ya de verdad o es que le he asustado? ¿Sarah...?

Su hija no contestaba. Seguía completamente aturdida. La cara de Jonathan... tan cerca. Habían estado a punto de besarse. Y ella lo había querido, había anhelado tener sus labios y sus manos sobre su cuerpo. No podía negarlo, esta vez no. Y seguramente hubiera pasado algo entre ellos, si no... ¡si de repente no hubiera sentido un miedo aterrador! Aquel repentino frío iba abandonando ya el cuerpo de Sarah, pero muy poco a poco.

Dustin esperaba que pasase algo, que ELLA le hiciera una visita. No iba a dejar que se marchitase así sin más. No desaprovecharía la ocasión de arrojarle su desdén a la cara. ¿Dónde se había metido? Estaba pendiente de cada mínimo ruido, pero nada ni nadie se acercaba a su oscura prisión. Dustin cerró los ojos, extenuado por la tensión interior que soportaba.

Ventanas, ventanas por todas partes... Quiero cerrar los ojos, me siento observado y examinado, pero no lo consigo. Mis párpados están inmóviles, no puedo moverlos, me obligan a permanecer despierto, a mirar, a ver, a reconocer, a asustarme...

Ojos... A través de una de las ventanas unos peligrosos ojos verdes me miran, brillantes como los de una gata al acecho. Frente a mí ondea una larga melena roja como la sangre. Proyecta llamaradas como el fuego y trata de envolverme, de rodearme el cuello. Me lanzo por otra ventana. Tras el cristal me esperan dos pequeñas pupilas rodeadas de un azul claro. Me miran con expresión amistosa, inspiran confianza. Me quedo un momento enganchado a ellos, quiero recobrarme en ellos, pero de pronto el azul se hace más y más claro, cada vez más glacial... y me entra frío. Por mucho que me esfuerzo no logro despegarme de esos ojos. Es como si su frío me penetrase y me dejase petrificada, como si me congelasen el cuerpo... lentamente y sin piedad.

—Mira aquí, mírame... —Detrás de mí suena la tierna voz de Sarah—. Estoy aquí, estoy contigo... Dustin, Dustin... —Me libera con su cálido tono de mi fría rigidez y puedo por fin despegar la mirada de esos ojos de hielo y llevarla a la ventana desde la que me llega la voz de Sarah. Pero allí no solo me esperan ojos marrones y de-

licados, sino que detrás de ellos aparecen otros dos: grises, oscuros e inexpresivos. Tengo la impresión de que me ciegan, como si me ahogara en un pantano turbio. Caigo al suelo sin fuerzas...

—No te dejes deslumbrar ni engañar. A veces los ojos mienten. —Me susurra una voz apagada.

Dustin estaba sin aliento y sentado con la espalda arrimada contra la pared. El dolor en su pierna se había recrudecido de nuevo cuando, al despertarse del sueño, se había levantado con una fuerte sacudida consecuencia del susto. Esos ojos... Dustin tenía la impresión de que lo seguían acechando incluso allí, en su oscuro calabozo. Todos le habían asustado, pero sobre todo... sobre todo esa última mirada gris e inexpresiva, que por poco le corta la respiración. Dustin ya había visto aquellos ojos una vez, hacía mucho tiempo.

—Henry —susurró.

A lo largo de muchos años esos ojos le habían dejado tranquilo y casi los había olvidado. ¿Por qué aparecían justo ahora en su sueño, indiferentes y expectantes?

A Dustin se le encogió el estómago de hambre. Miró el cielo nocturno. Aunque ya no tenía la luna directamente encima de él, le iluminaba con su claridad

Reinaba el silencio. Un silencio sepulcral. Allí encontraría pronto su final eterno. Ya faltaba poco. Dustin sintió cómo el pánico se apoderaba de él como una masa oscura y viscosa que lo sepultaba todo a su paso. No podía seguir evitándolo por más tiempo, ya nada podía distraerle de sí mismo. Lo había intentado todo para escapar de allí, pero no lo había conseguido. Y sus fuerzas no dejaban de menguar con rapidez. A partir de ahora cada hora iría a peor.

De pronto Dustin creyó oír pasos. Aguzó el oído. Parecían acercarse a él, después se detuvieron y volvieron a alejarse.

—¿A qué juegas? —gritó Dustin hacia la noche golpeando las paredes de barro—. ¿Cómo puedes ser tan miserable? ¡Al menos muéstrate cuando me tienes ya aquí encerrado!

Los pasos enmudecieron de nuevo. Entonces Dustin notó cómo se aproximaban a toda velocidad y con decisión y cómo se paraban ante la fosa.

—¡Ah!, pero mira —dijo una voz, SU voz. Dustin saltó, pero volvió a desplomarse de inmediato al suelo por culpa de la pierna herida.

—Esta es la forma más miserable y cobarde de vencerme —dijo entre dientes—. ¿Esto es todo? ¿de verdad? ¿No se te ocurre nada mejor, Emilia?

—Pues sí —contestó la voz y SU cabello pelirrojo brilló a la luz de la luna.

A la mañana siguiente Sarah caminaba por el pasillo del instituto como en trance. Las numerosas caras y ruidosas voces que se alzaban a su alrededor se confundían en una única corriente de ojos, narices, cabellos y bocas en movimiento. Pero ella solo buscaba una cara. No había visto a Jonathan en toda la mañana. Tenía que mirarlo a los ojos y disculparse por lo ocurrido la noche anterior. Por dejar que la situación hubiera llegado tan lejos entre ellos y también por su repentino rechazo. Sarah se había pasado media noche cavilando sobre qué le había impedido de pronto besar a Jonathan; seguía sin saberlo.

May volvió al instituto ese día. En la clase de español a la que asistían juntas solo había saludado brevemente con la cabeza a Sarah y a continuación se había sentado en la otra punta del aula, pasándose la clase con la mirada perdida. También para Sarah era aún demasiado pronto para hablar de la última conversación que habían mantenido. ¿Y de qué otra cosa podían hablar por el momento?

—¡Hola, Sarah!

Sarah se estremeció cuando vio los ojos azules de Jonathan.

—Hola... Jonathan. —Su corazón comenzó a latir como loco de forma instantánea.

Jonathan la escrutó con la mirada. Estaba tan cerca de él que podía sentir su respiración, como el día anterior. Pero hoy le resultaba incómodo. Se sentía cohibida y notaba cómo toda ella se oponía a su cercanía.

—¿Estás bien? —preguntó Jonathan con suavidad y le puso una mano en el brazo sonriendo. Aunque no lo apartó, los músculos de Sarah se tensaron automáticamente ante su contacto.

—Sí... Sí, estoy bien... —balbuceó. De pronto no se le ocurría cómo empezar la conversación con Jonathan. El día anterior en la cama había preparado miles de frases, pero ahora no le venía a la mente ni una sola.

—Bien, es un alivio —dijo Jonathan—. Pensaba que estabas enfadada conmigo, por lo de ayer. Dime, ¿tienes también una hora libre ahora? ¿Tomamos un café?

—No, debo irme, tengo clase de historia. —La frase le salió más brusca de lo que pretendía y notó cómo la cara de Jonathan se ensombrecía por un instante.

—¡Ah!, historia... ¿Y qué harás después de las clases? ¿Te apetece dar una vuelta o comer una *pizza*? También puedes venirte a mi casa y vemos juntos una película.

Sarah respiró hondo.

261

—No, Jonathan, hoy no. Sé que suena raro después de lo que... casi... pasó entre nosotros. Pero mientras no esté del todo segura de mis sentimientos no quiero mezclarme en nada. Si ayer te di otra impresión, lo siento. Sé que no fue justo —dijo Sarah, notando cómo se iba relajando con cada una de sus palabras. Jonathan retrocedió un paso y Sarah tuvo la impresión de poder respirar de nuevo con más libertad—. Me gustas, Jonathan —prosiguió con más suavidad—. Espero que me creas cuando te lo digo. Y quizá que me gustes incluso más que solo como... amigo. Pero lo que siento por Dustin no va a desaparecer de un día para otro, aunque algunas veces yo misma lo desee porque entonces todo resultaría más fácil.

—¿Lo que estás diciendo es que si no existiera él, yo sería lo bastante bueno para ti? —La voz de Jonathan era glacial.

—No, no quería decir eso.

Sarah se pasó la mano por la frente. ¿Cómo podía ser tan torpe? Pero de hecho Jonathan estaba en lo cierto. Y en su fuero interno Sarah lo sabía también desde hacía tiempo. Si no fuera por Dustin y por todo lo que aún quedaba sin aclarar entre ellos, seguro que Jonathan y ella estarían juntos desde hacía tiempo. Por eso tampoco le gustaba nada que Carol y Jonathan flirteasen. Sarah nunca había querido ser una de esas estúpidas muchachas caprichosas, pero su comportamiento la contradecía. No quería dejar de interesar a Jonathan y así era como él lo había percibido. Resultaba comprensible que reaccionase ofendido. Tenía que solucionar este asunto de alguna forma.

—Jonathan, es solo que entre Dustin y yo hay aún algo que tiene que aclararse y... —Sarah se interrumpió de nuevo. No sabía cómo continuar, ya no podía seguir buscando pretextos. Era sencillamente una persona miserable y cruel y había jugado con los sentimientos de Jonathan. Era así, y punto—. Pienso en Dustin casi sin cesar —dijo en voz baja. De repente las frases brotaban como por sí solas—. Y tengo la sensación de que también él siente algo por mí. Hemos tenido momentos que me lo han mostrado. No sé lo que me pasó ayer. Creo que fue solo el anhelo de la cercanía de alguien... y tú estabas en ese momento allí. Pero no quería hacerte daño... —Sarah calló y esperó una reacción.

Al fin, Jonathan asintió en silencio.

—Al menos eres sincera. Me temo que de ahora en adelante estoy de sobra en tu vida, por mucho que me duela. —Con estas palabras se dio la vuelta y se fue a paso rápido sin ni siquiera volverse hacia Sarah.

Lo observó alejarse en silencio. Y entonces su mirada recayó en Carol. La muchacha rubia estaba no muy lejos de ella, junto al tablón de anuncios, y la miraba. Le dedicó una sonrisa forzada, a continuación se volvió y desapareció en una de las aulas.

Sarah se cubrió la cara con las manos. ¡Solo le faltaba esto! Probablemente Carol lo había oído todo. Estaba paralizada. En ese momento nada parecía salir bien. Sarah se estaba enemistando con todas las personas de su entorno, y en todos los casos por culpa de sus sentimientos hacia Dustin. Era como una reacción en cadena. Y el que la había desencadenado y por el que Sarah estaba arriesgando todas sus amistades había desaparecido y aún no le había hecho llegar ni tan siquiera un mensaje.

«¿Realmente Dustin merece todo esto?» se preguntó Sarah. «¿O quizá no, como decía ayer Jonathan, y me estoy aferrando a algo que ni siquiera existe? ¿Persigo ciegamente una mera ilusión?»

De pronto Sarah sintió un escalofrío y se rodeó el cuerpo con los brazos. A continuación, aturdida, se dirigió hacia su clase de historia.

Esta vez Dustin estaba seguro de que no se trataba de una jugarreta de sus sentidos. Aunque a cada hora que pasaba se sentía más débil y la última noche ya le costaba aguzar su mirada y oído como acostumbraba, pudo oír con claridad SU voz... Había resonado tenebrosa hasta las profundidades donde se encontraba y se le había grabado en la mente. «Pues sí», había dicho. Nada más. Después había vuelto a desaparecer. Pero esas dos únicas palabras eran un amasijo de odio ilimitado y certeza absoluta de victoria. Y al mismo tiempo, representaban una amenaza: «Esto no es todo, todavía falta algo más terrible».

SUS planes eran algo peor y, de hecho, eso solo podía significar una cosa: Dustin no solo iba a sufrir por morirse de hambre, sino que alguien más caería víctima de ELLA. Alguien más importante para Dustin que su propia vida. Alguien a quien nunca querría ver martirizada.

De pronto, un terrible pensamiento le atravesó la mente como un relámpago: ¡la carta! No la había perdido por accidente en su huida de la policía, sino que se la habían quitado. Y ahora ELLA lo sabía todo. Sabía que Sarah era tan importante para él que incluso estaba dispuesto a abandonar la ciudad para protegerla, para que ELLA se alejase. Él había delatado a Sarah.

Dustin se cubrió la cara con las manos, completamente desesperado. Su carta, su intento de hacerle llegar a Sarah un ridículo mensaje para su protección se había convertido en su sentencia de muerte.

Sarah estaba delante de la puerta de la habitación de Jonathan. Se había sentido mal todo el día y necesitaba volver a hablar con él a toda costa. Quería pedirle que la perdonase, decirle cuánto lo necesitaba como amigo y que no volvería a herir sus sentimientos.

Alzó la mano para llamar cuando oyó la voz de Carol. Jonathan y ella parecían conversar animadamente. Sarah sintió cómo crecía en ella una sensación de decepción. Así que ahora Carol era la confidente de Jonathan. Ya no necesitaba a Sarah, lo había decepcionado y herido. ¿Por qué iba a seguir teniendo trato con ella? Sarah se volvió, y estaba a punto de irse cuando algo la retuvo. De repente, la voz de Carol adquirió un volumen más alto de lo habitual. Sarah arrugó la frente y se volvió a acercar a la puerta. No recordaba haber visto jamás a Carol enfadada y así de furiosa. ¿Es que estaban discutiendo? Y si era así, ¿sobre qué? Sarah puso la oreja en la puerta.

—Ahora tranquilízate, todo está bien.

—¿A esto lo llamas tú estar bien? Me has engañado, me has ocultado la verdad. Pero ahora yo misma te he desenmascarado. Lo sé todo, querido; y aquí está la prueba. ¿Cómo pudiste pensar que era tan tonta?

—Lo siento mucho. No creo que seas tonta, lo que pasa es que no quería...

—Ya, el motivo me lo sé de sobra. Estás enamorado de ella, ¿no? Estás enamorado de Sarah. Por eso todo el secretismo y tus excusas.

—No, te lo juro, te equivocas. Por favor, dame otra oportunidad...

—¡Cállate! Muy bien... Aún no está todo perdido, tendrás tu oportunidad. Pero a partir de ahora las cosas serán diferentes. Y en el futuro me serás leal, ¿entendido? De lo contrario conocerás otra faceta mía. Detesto que se me tome por tonta, ¡ya lo sabes!

—Por supuesto. Te prometo que nunca volveré a decepcionarte.

—Bien. Y ahora tendrás la excepcional oportunidad de probarme tu amor precisamente con...

Sarah retrocedió apartándose de la puerta. Lo que sin duda estaba ocurriendo en ese momento ahí dentro no quería oírlo en detalle. Su corazón palpitaba acelerado. Resultaba increíble la forma en que Carol le había hablado a Jonathan. Como si fueran pareja desde hacía siglos. Sarah sabía que eso no era verdad. En su fiesta, un par de semanas atrás, Carol incluso había tratado de juntarla con Jonathan. Era curioso el giro que habían dado las cosas. Y curioso también que él la dejase hablarle de esa manera y que actuase de forma tan cobarde, con rodeos. ¿Por qué no le había confesado con sinceridad que estaba enamorado de Sarah? Jonathan no tenía derecho a hacerse el ofendido y el decepcionado. Le echaba a Sarah en cara que solo hubiera querido mantenerlo interesado, pero era obvio que él hacía lo mismo con Carol. Acababa de obtener la negativa de Sarah y Carol ya era suficientemente buena. Quizá porque se acostaba con él. Sarah abandonó la residencia furiosa y se encaminó hacia donde había estacionado su vehículo. Estaba saliendo del aparcamiento cuando pisó el freno y retrocedió un par de metros. Con ojos entrecerrados paseó la mirada por el recinto del instituto. Por un breve instante le había parecido ver a Carol salir en compañía con otros alumnos de la biblioteca de enfrente de la residencia. Pero no podía ser. Debía de haberse equivocado.

Capítulo 13

Cuando Sarah volvió al fin a casa, cansada y con la cabeza a punto de estallar, eran ya las cuatro. Dejó el abrigo en la escalera y se arrastró hasta la cocina para beber un vaso de agua. El periódico estaba sobre la mesa. Lo tomó de inmediato y lo abrió por la sección regional. Echó una ojeada rápida a los titulares. De hecho, había allí algo que le interesaba: ¡Cazadores furtivos atrapados!

Sarah se dejó caer en una silla.

«En la noche del lunes al martes fueron detenidos dos cazadores furtivos en una zona apartada del Canyon Forest. Según declaraciones de ambos hombres, no hubo un tercer participante en la caza ilegal, aunque se divisó cerca de ellos a otro sospechoso. Este joven (pelo oscuro, aproximadamente de metro noventa de estatura) ya había sido visto un día antes en el bosque. No obstante, puede descartarse cualquier tipo de relación entre los cazadores furtivos y este...»

Sarah apartó el periódico. De repente se sentía otra vez completamente despierta. Si los cazadores furtivos habían sido detenidos, no volvería a cruzarse con la policía. Era un buen momento para hacer un segundo intento y buscar a Dustin. Quizá no había sido todo en vano y la situación podría tomar un giro favorable. Le pareció que lo mejor sería volver a intentarlo en el lugar en el que los policías la sorprendieron el otro día. Sarah había tenido la sensación de que Dustin estaba cerca y le había prometido que volvería. Quizá sí que había oído sus palabras y la esperaba allí. Esta vez lo encontraría, de eso estaba segura. La agitación disipó de un soplo el cansancio y el chasco por el asunto con Jonathan. Miró por la ventana. Aún había mucha luz, no quería llamar la atención de ningún paseante. Pero transcurridas un par de horas estaría bastante oscuro y podría ponerse en camino sin ser vista. Ahora solo necesitaba una buena excusa que darle a su madre...

Ya había vuelto a oscurecer y la luna se encontraba justo encima de la fosa. Estaba completamente cubierta por las nubes a excepción de una pequeña parte, por lo que a Dustin solo le llegaba un débil haz de luz. Miró su reloj por enésima vez en ese día. Eran casi las nueve. De pronto, el tiempo volvía a tener importancia para él. Adquiría trascendencia. Cada minuto que pasaba Dustin sentía cómo sus fuerzas se extinguían, y a cada instante pensaba en Sarah y en el gravísimo peligro en que se hallaba; y él era incapaz de ayudarla.

El día anterior ELLA no había aparecido hasta bien entrada la noche, así que tendría que esperar aún su visita. Aunque Dustin no sabía si le escucharía, debía intentarlo todo para evitar que cometiera un crimen contra Sarah. Haría todo lo que ELLA le exigiese, se le sometería, le juraría pasar toda la eternidad a su lado y a sus órdenes para servirla...

Dustin alzó de pronto la mirada. Algo se había movido. Ya había llegado.

—Emilia, escúchame —exclamó.

Sobre él apareció una figura. Llevaba un oscuro abrigo con capucha, así que Dustin no podía reconocer su cara.

«Quizá sea mejor así», pensó Dustin. «Concéntrate en no mirarla a los ojos, evita su mirada.»

—¿Qué quieres? —La voz era solo un susurro apagado, que apenas llegaba a los debilitados oídos de Dustin.

—¡Quiero proponerte un trato! Haré todo lo que me pidas, Emilia, todo... Puedes matarme de hambre o convertirme en tu súbdito eterno, puedes obtener lo que quieras de mí. Pero te lo ruego, ¡deja a Sarah en paz! Ella no tiene la culpa de que tú me odies, no le hagas nada, yo...

—Demasiado tarde —fue la respuesta—. Ya es demasiado tarde.

—¿Qué quieres decir, para qué es demasiado tarde? —chilló Dustin. Con la agitación olvidó que quería evitar sus ojos y, mareado, dirigió su mirada hacia la figura. En ese instante la luna se abrió paso entre las nubes por una fracción de segundo e iluminó el rostro con capucha oscura; dos ojos sin color miraron a Dustin.

Sarah consultó nerviosa el reloj. Pronto serían las nueve. Había sobrado más de la mitad de la *pizza* que había traído su madre.

—¿No tienes nada de hambre? —preguntó Laura Eastwood preocupada.

—No quiero comer demasiado —explicó Sarah—. Salgo ahora otra vez a ver a May y me dijo que prepararía algo.

Sarah detestaba mentirle a su madre pero, simplemente, no le quedaba otra opción.

—¿Qué? ¿Ahora? ¿Es que tenéis algún plan importante? Mañana tenéis clase...

—No, May se perdió muchas clases a causa de su enfermedad —respondió Sarah—. Me pidió que la ayudase con un par de problemas de matemáticas.

Laura Eastwood asintió, comprensiva.

—Pero procura que no se te haga muy tarde. Últimamente pareces muy cansada.

—¡No te preocupes, mamá! —Sarah metió los trozos de *pizza* restantes en el frigorífico y se puso el abrigo a toda prisa. Como precaución se había metido ya a escondidas la pequeña linterna del cajón de la cocina en el bolso.

—¡Hasta luego! —Cuando Sarah abrió la puerta de casa, algo cayó al suelo. Se agachó a recogerlo. Un sobre. En él solo había escrito «*¡Para Sarah!*». «Qué extraño», pensó. ¿Por qué no le habría dado personalmente el sobre el autor de la carta? Había permanecido en casa desde que llegó del instituto. ¿Sería de Jonathan? Sí, seguro que había desahogado su decepción.

A Sarah le temblaban un poco las manos cuando abría el sobre sin prisa. De hecho, no le apetecía nada recibir más acusaciones y reproches que la volvieran a deprimir y a despertar en ella mala conciencia. Sobre todo, no después de haber escuchado la extraña conversación entre Jonathan y Carol. Pese a todo, leería lo que tuviera que decirle, porque no cabía duda de que se había portado mal con él.

Sacó la hoja suspirando y la desdobló. Su mirada se apresuró de forma automática hacia abajo, a las últimas líneas manuscritas en la parte de atrás: *Con cariño, D.*

Se le doblaron las rodillas. Las letras que tenía ante sí empezaron a revolotear en desorden. Se sujetó al marco de la puerta.

Con cariño, D.

El corazón le latía ruidoso y agitado. No necesitaba más que esas pocas palabras, si es que realmente venían de él. «Por favor, por favor», rogó Sarah en silencio y volvió tambaleándose al pasillo. Cerró la puerta con suavidad y se detuvo prestando atención. Su madre estaba ocupada en la cocina. Se sentó en las escaleras que llevaban a su habitación. Cerró un momento los ojos y respiró hondo para calmarse; a continuación se puso a leer la carta desde el principio.

Querida Sarah:

Me imagino lo mucho que tiene que haberte sorprendido y asustado lo ocurrido estos últimos días. Me encanta-

ría poder explicártelo todo, pero debemos tener cuidado. Nadie debe oírnos, nadie debe vernos, y es que hay seres más poderosos que yo. Conocen mejor la eternidad y no hay nada que deseen más que destruirnos, a nosotros y nuestro amor. Una vez hice una promesa falsa; antes, mucho antes de que tú llegases a este mundo. Actué de forma egoísta, sin tener en cuenta a aquellos que obraron de buena fe conmigo. Era un hipócrita de la peor calaña, Sarah. Quiero que lo sepas, porque ese es el motivo por el que me vigilan, me amenazan y me persiguen.

Pero no quiero que a ti te pase nada, deseo protegerte. Tú y yo.... Tenemos una oportunidad, nuestro amor tiene una oportunidad. Pero debemos encontrarnos en un lugar secreto y no podemos esperar mucho más. Se nos acaba el tiempo...

Si sigues sintiendo algo por mí y crees que tu amor es lo suficientemente fuerte, entonces ven el viernes a medianoche a la antigua cantera que se encuentra en el margen del bosque. Desde allí un rastro inconfundible te llevará hasta mí.

No hables con nadie sobre esta carta y no te dejes cegar ni engañar por persona alguna. He aprendido que a veces los ojos pueden mentir.

Solo una última cosa antes de que por fin volvamos a vernos: doy las gracias por que hayamos podido conocer-

nos. Me regalaste un valioso momento de tu vida y se ha convertido en uno de los más bonitos de mi existencia.

Con cariño,

D.

P.D. Por favor, cuídate y no permitas que esta carta acabe en manos equivocadas.

Sarah dejó caer la carta. Seguía sin poder creérselo. Dustin le había hecho llegar un mensaje... por fin. Aseguraba amarla, afirmaba incluso que ambos tenían una oportunidad. Quería verla, hablar con ella, trazar un plan...

Llevaba tanto tiempo anhelando esas palabras... Había pasado noches enteras en vela preguntándose si Dustin aún pensaba en ella; ahora tenía la respuesta. Y no obstante... De alguna forma no lograba alegrarse, no sentía alivio. Tenía la sensación de que todas sus dudas y miedos seguían ahí.

«Quizá sé ya demasiado», pensó Sarah. «May me ha contado su historia con Dustin, un pasado sombrío con muchas promesas y amargos giros del destino. No es la primera vez que Dustin cree haber encontrado su amor verdadero, y siempre acabó mal. ¿Por qué iba a salir bien esta vez?»

—¿Mamá? —Sarah entró en la cocina y se acercó a su madre.

—¡Ay!, ahora sí que me has asustado. ¡Pensaba que te habías ido ya!

—May me acaba de escribir un SMS diciendo que se le ha hecho tarde, así que me subo a mi habitación.

—Muy bien, cariño.

Por las escaleras, Sarah volvió a leer la carta por segunda y después por tercera vez. Esperaba extraer de entre las líneas algún mensaje que la animase y la librase de aquella inseguridad... pero no lo encontraba.

Sentía el cuerpo pesado y le dolían las extremidades como antes de una gripe. Se dejó caer cansada sobre la cama y puso el volumen del aparato de música a tope.

We've seen the nightmare of the lies that you speak, the beast that I lie beneath is coming in...

Esa carta... Algo no encajaba. Era el tono, la forma como estaba escrita. ¡Sí, eso era lo que la inquietaba! Se incorporó. La carta resultaba demasiado insignificante para lo que realmente decía, y al mismo tiempo parecía haber sido escrita sin ganas y a toda prisa, lo que denotaba un carácter que no le pegaba a Dustin. Siempre había intentado mantener a Sarah a distancia por precaución, y lo había justificado con que no quería ponerla en peligro ni decepcionarla. Afirmaba que ya no estaba seguro de sí mismo ni de sus sentimientos. Pero en esta carta descartaba todas las dudas, como si nunca hubieran existido. Solo la colocaba a ella, Sarah, ante una importante decisión.

Volvió a desdoblar la carta, que ya estaba totalmente arrugada.

Si sigues sintiendo algo por mí y crees que tu amor es lo suficientemente fuerte, entonces ven...

Eso significaba, sin duda, que él ya sabía exactamente lo que quería. Pero ¿de dónde venía ese repentino cambio de opinión?

Sarah apagó la luz, pero se quedó despierta, cavilando y con los ojos abiertos. El mal presentimiento no desapareció. Incluso creció en intensidad y se transformó al fin en puro miedo. Hasta ese momento solo había deseado que Dustin volviera y le asegurara que también él había disfrutado de su tiempo juntos, que sentía algo por ella, que no le era indiferente. Quizá también que a pesar de todas las dudas podía imaginarse que aún tendrían una oportunidad... alguna vez. Pero todo iba demasiado rápido. El amor debía crecer, debía confirmarse en los malos momentos, sentar una base... como con sus padres.

Cuanto más pensaba en esa idea, más clara se le aparecía una cosa; las dudas que ahora tenía harían fracasar con toda seguridad la transformación de Dustin. No podía salvarlo, no en ese momento. Lo hundiría a él y a sí misma en la desgracia... y tenía que decírselo. Acudiría a la cita propuesta por él y le hablaría de sus sentimientos y miedos. Sería sincera y esperaba que Dustin la comprendiera. Quería pedirle tiempo para ella, para ambos, incluso aunque por el momento tuvieran que verse a escondidas.

Sarah notó que se iba calmando. Ya sabía cómo iba a proceder, y su miedo se iba desvaneciendo paulatinamente. Al fin se sumió en un sueño ligero.

Estoy a punto de irme, y ahí está Jonathan.

Me alegro de verlo. Siempre se ha portado bien conmigo, nunca me ha hecho daño, nunca me ha abandonado.

—¿Y adónde quieres irte, Sarah? Quédate, iba a pasar a verte. Te he echado tanto de menos —dice sonriente—. Nada deseo más que hacerte feliz, Sarah —añade suavemente y da otro paso hacia mí—. Tú y yo somos la realidad. Ninguna fantasía, ninguna ilusión. Podemos querernos, sin riesgos. ¿No es eso lo que tú también deseas? Sarah, ¿no anhelas igual que yo un amor verdadero, cercanía y protección?

Siento cómo el calor se extiende en mi interior, al tiempo que doy un paso hacia él, entreabro la boca, veo cómo su cara se acerca lentamente hacia la mía, lo miro a los ojos y...

Sarah se despertó asustada. Tenía frío y su corazón palpitaba agitado en su pecho. Encendió la lamparita de noche con dedos temblorosos.

Tiritando de frío, se envolvió más con la manta y esperó a que cediese su turbación y a que las imágenes de su sueño se fueran desvaneciendo lentamente. Pero esta vez persistían tenaces. Y, de repente, Sarah supo por qué. Las imágenes de su sueño y ese frío en el cuerpo le recordaban la noche que Jonathan había estado en su casa...

Se había acercado lentamente y de forma espontánea a Jonathan, había deseado que la tocase, sentir su cercanía, besarlo para poder sentirse al fin a salvo. Y todo esto hubiera pasado si... Exacto, si no lo hubiera mirado otra vez a los ojos. En aquel momento le había parecido distinguir durante una fracción de segundo lo que le daba un aspecto tan distinto... y se había apartado de él con un miedo de muerte. Sus ojos. Los bonitos ojos azules de Jonathan, de pronto tenían un color gris glacial.

Desde la inquietante visita de la última noche todo había permanecido en calma en torno a Dustin. Un miedo angustioso era lo único que le hacía compañía en aquella angosta celda de barro y tierra, y cada vez iba ocupando más espacio.

El hecho de estar encerrado, el hambre canina y su pierna herida eran una parte, pero lo que más lo torturaba era que sus temores sobre la seguridad de Sarah, se habían convertido hacía algunas horas en una cruel certeza. Y aunque sus sentidos estaban cada vez más debilitados y solo había visto SUS peligrosos ojos de gata como bajo un velo gris a la tenue luz de la luna, había oído muy bien sus palabras susurradas pese al estruendo en sus oídos. «Demasiado tarde. Ya es demasiado tarde», había pronosticado. Su plan seguía en pie y no lo abandonaría. Había seguido el rastro de Sarah y le haría algo terrible... si es que no lo había hecho ya.

«Sarah, por favor, ten cuidado», rogó Dustin mentalmente, aunque sabía que toda prudencia sería en vano. Si ELLA había elegido a su víctima, la atraería hacia la trampa, igual que había hecho con él. Y no haría caso a ninguna súplica o ruego. Al contrario, como mucho lograría espolearla aún más...

Sarah se levantó tras unas pocas horas de sueño, con el objetivo de no dejarse dominar demasiado ese día por pensamientos e ideas sombrías. Intentaría cruzarse con Jonathan como por casualidad y fijarse en el color de sus ojos. Su mirada gris le había provocado varios escalofríos que recorrieron su columna vertebral la noche anterior, pero esa mañana ya no estaba tan segura de si el cambio de color de ojos de aquella noche no habría sido solo fruto de su imaginación. Cuando se habían aproximado el uno al otro, en la cocina solo había encendida una pequeña lámpara cuya tenue luz apenas sí alumbraba y, además, ella había perdido el control de sus emociones. Quizá se había asustado más por sí misma que por Jonathan. Este razonamiento tenía bastante más sentido.

Sarah tomó la carta de Dustin.

—Y en cuanto a ti —murmuró—, tampoco volverás a asustarme. Ahora sé cómo tengo que interpretarte. —Volvió a leer la carta, línea a línea, antes de metérsela en el bolsillo del abrigo... y en efecto, las palabras de Dustin tenían un sentido completamente distinto al día anterior. De hecho, le desvelaban lo más importante, que estaba bien, que no había desaparecido sin más para siempre sino que aún pensaba en ella y que incluso se imaginaba un futuro común para ambos. Por supuesto, no le había dado tiempo a escribir una novela, sino que se había expresado de forma escueta y sobria. En cualquier caso, lo que se indicaba en la carta resultaba muy arriesgado. Y sabría algo más concreto cuando se encontrasen la noche del viernes al sábado. Solo faltaban dos días...

Tan solo el pensar que volvería a verlo, que podría mirarlo a los ojos, tocarlo, animó a Sarah y le hizo recorrer el camino hacia el instituto con una actitud optimista y animada.

—Hola, May, ¿te parece bien que hagamos hoy la pausa juntas? —preguntó Sarah con cautela cuando May entraba en el aula.

May miró a Sarah sorprendida. Al principio arqueó las cejas y se encogió de hombros.

—Me da igual, como quieras... —A Sarah le molestó un poco la reacción reservada de May. Al fin y al cabo, ella se había esforzado por dar el primer paso tras su discusión. No obstante, trató de no dejar que le estropease el buen humor. Tenían que ser capaces de solucionar al menos un poco las cosas entre ellas. ¿O es que en el futuro se comportarían como si no se conociesen?

Tras la clase, Sarah esperó a May en la puerta del aula. Caminaron juntas hacia el amplio patio y se sentaron allí en un banco de madera. A pesar del sol matinal, la baja temperatura hacía visible el aliento al respirar.

—¿Y? —preguntó al fin May—. ¿Te has tranquilizado ya un poco?

—¿A qué te refieres? —preguntó Sarah.

—¿A ti qué te parece? Me refiero a los pretextos que buscaste después de que te hubiera hablado sobre la muerte de Simon... Y eso que sabes que mis sospechas son ciertas, ¿no es así? Lo has sabido siempre.

Sarah sacudió la cabeza desconcertada.

—En realidad hoy no quería hablar contigo sobre eso —contestó con calma.

—¿Entonces? ¿De qué hablamos ya si no es de ti y de Dustin y sobre si es o no inocente? Entre nosotras ya no hay ningún otro asunto que tratar.

Sarah estaba absolutamente perpleja. No respondió, se limitó a mirar a May sin decir nada.

—Si somos sinceras, nuestra amistad hace ya tiempo que está perdida —prosiguió May—. Yo mantenía la esperanza, pero la única oportunidad de recuperarla sería que yo, de repente, me convenciese de la inocencia de Dustin. Y Sarah, eso nunca pasará, así que no te hagas ilusiones. Al contrario... Cuando averigüe dónde está le haré lo que ya te he dicho. Y me encargaré de que no pueda perjudicar a nadie más...

Sarah se levantó de un salto.

—No puedes hacerle daño —le increpó—, no tienes ningún derecho.

May rió con desdén.

—¿Ah, no? ¿Y me podrías decir quién lo tiene, si no soy yo? ¡Dustin ha destrozado mi vida! Si sintieras un poco más de comprensión hacia mí y mi situación, quizá verías las cosas de un modo distinto —dijo—. Pero ya te has dejado dominar del todo por Dustin y lo defiendes constantemente... da igual lo que descubras sobre él. No puedo permitir que te entregues a sus promesas y despiertes como inmortal. Si eso ocurriera, también tú serías un peligro para ti misma y para los que te rodean. Esta tarde tiene que acabar, ¿no lo entiendes? Todo este horrible juego debe cesar de una vez. Sé lo que hago, y no me lo impedirás.

—¡Deja a Dustin en paz! —exclamó Sarah furiosa—. Es solo tu opinión, no tienes ninguna prueba... no respecto a Simon ni a Anna —la voz casi se le quebraba. Miró a May durante un momento echando chispas por los ojos. Después se volvió y se dirigió a paso rápido al instituto.

—¿Sarah? —May la llamó, pero Sarah no reaccionó. Ya no quería volver a tener nada que ver con May, al menos ese día.

—¿Sarah? —repitió May en voz más alta.

Al fin Sarah se detuvo y se dio la vuelta, furiosa.

—Se te acaba de caer esto —dijo May sosteniendo la carta de Dustin en la mano. A Sarah se le paró el corazón unas décimas de segundo. Tambaleándose, se acercó a May e intentó leer algo en su mirada. ¿La habría leído? ¿Sabía algo? Sus ojos no revelaban nada. Sarah tomó la carta y se la volvió a meter con dedos temblorosos en el bolsillo del abrigo. May le lanzó una última mirada inexpresiva antes de pasar por delante de ella sin pronunciar palabra. Sarah apretó entre sus dedos la carta dentro del bolsillo y observó a su amiga alejarse a paso decidido cruzando el patio.

Sarah estaba exhausta cuando emprendió el trayecto de vuelta a casa. No sabía cómo había logrado sobrevivir al resto de las clases. No se había vuelto a encontrar a May ni había visto a Jonathan por ninguna parte; ni siquiera en la clase a la que asistían juntos.

Sí que coincidió con Carol una vez por el pasillo. Una rápida sonrisa había sido su saludo para desaparecer enseguida, acompañada de algunas animadoras, en dirección al pabellón de deportes. ¿Estaría enfadada con ella? ¿O celosa? Sarah no había notado nada. Carol tenía el don de parecer siempre agradable... o al menos eso creía ella hasta veinticuatro horas antes.

En ese momento se sentía sola como nunca antes. La única luz que veía ante sí era el encuentro con Dustin. Pero también esa ilusión se veía enturbiada por la amenaza de May. Sarah no podría contarle a Dustin demasiadas cosas positivas; tenía que alertarlo de todo y disuadirlo de volver al Canyon High.

Cuando abrió la puerta de casa y entró, el pasillo olía al puchero que había cocinado su madre, que ese día tenía turno de tarde y, por tanto, Sarah estaba sola en casa.

Se sirvió una ración en un plato, que calentó en el microondas y se sentó delante de la televisión para distraerse un poco. Hacía *zapping* de un canal a otro pero no lograba concentrarse en ningún programa. Su mente volvía una y otra vez a May. Aunque no era la primera vez que expresaba su animosidad con respecto a Dustin, cosa que hacía con frecuencia, esta vez había sido diferente: sus palabras denotaban la firme decisión tomada; May le haría daño a Dustin si se le presentaba la oportunidad, nada ni nadie conseguiría impedírselo. Para ella era un asesino, que no solo había matado a Simon y a Clara sino también a Anna. Y ella, Sarah, había esperado en vano encontrar pruebas para demostrarle lo contrario. ¡Mierda!, ¿por qué no había dejado en casa la carta, en vez de perderla justo delante de las narices de May? A Sarah le entraron ganas de darse de bofetadas por haber sido tan tonta. La carta estaba doblada varias veces, así que May no habría tenido tiempo de desdoblarla y leerla... ¿o sí? ¿Y si la había leído?

Sarah se levantó, fregó su plato y subió a su habitación. Entonces sonó su teléfono móvil. «Jonathan». Sarah no aceptó la llamada; en ese momento no quería hablar con él ni tampoco pensar en él. Ni en su última conversación, ni en el color de sus ojos.

Tras unos minutos volvió a sonar. Solo al tercer intento Sarah respondió.

—¿Sí, Jonathan?

—Sarah, ¡por fin! ¿Estás en casa? —La voz de Jonathan sonaba un poco alterada.

—Sí, ¿qué pasa?

—Tengo que hablar urgentemente contigo, ¿me oyes? ¡Urgentemente! Quería hacerlo antes, pero... no pude ir a clase. ¿Puedo pasar por tu casa?

—No sé... —Sarah no quería ver a nadie más ese día—. Lo que sea ¿no puede esperar a mañana? Estoy muy cansada.

—No, mañana quizá sea demasiado tarde. Tengo que solventarlo hoy sin falta, ¡por favor!

—De acuerdo, pero déjame descansar un poco antes. ¿Sobre las ocho?

—Sí, muy bien. Hasta luego.

Sarah se dejó caer en la cama y cerró los ojos exhausta. ¿Cuándo acabarían de una vez todos esos problemas? Ansiaba tanto dormir. Le hubiera encantado dormir hasta la tarde del día siguiente, hasta poco antes de su encuentro con Dustin. Pero aunque Sarah estaba terriblemente cansada, su mente y su cuerpo no lograban sosiego. Su mal presentimiento aumentaba sin pausa, se iba haciendo más y más intenso.

Se despertó sobresaltada. Tenía la respiración acelerada y el corazón le iba a mil. Por la frente le caían gotas de sudor frío. Debía de haberse dormido y haber sufrido una pesadilla. «Pero ¿qué me está pasando?», se preguntaba. Se levantó y abrió la ventana de un golpe. Se asomó e inspiró el fresco y frío aire otoñal. Pero el miedo no desaparecía.

«Tengo que moverme, debo volver a recuperar el control, todo está bien», trató de calmarse. «Solo tengo que aguantar hasta mañana, hasta mañana por la noche. Entonces pasará por fin algo que pondrá fin a esta terrible espera. Dustin y yo encontraremos una solución, una solución para todos los problemas, todo se arreglará... todo se arreglará, a partir de mañana...»

«Demasiado tarde, mañana será demasiado tarde», decía el inquietante y apagado susurro de su interior. Se apretó las manos contra las sienes desesperada. «Al final me volveré loca», pensó, y puso la cadena de música a todo volumen para acallar las voces.

Ojalá estuviera allí su madre para contarle alguna historia banal con la que distraerse.

«Mañana será demasiado tarde...», insistía el susurro ronco, incluso a través de la música atronadora. Sarah apretó su almohada contra su frente. «¡Cálmate, cálmate de una vez!», gritó. En ese momento su mirada cayó sobre la carta de su padre, que guardaba bajo la almohada. No había leído todavía esas últimas líneas escritas por él; las cuidaba como un tesoro porque así tenía la impresión de que su padre aún no había pronunciado sus últimas palabras.

«Papá, ojalá pudieras ayudarme», susurró Sarah desesperada, «ojalá pudieras darme algún consejo. Tú siempre tenías una solución para todo».

Sarah se volvió a incorporar en la cama y tomó la carta con dedos temblorosos.

«¿Debería abrirla ahora?», se preguntó con el corazón palpitante. Anhelaba tanto oír la voz de su padre, sus palabras de consuelo. Lo necesitaba, lo necesitaba más que nunca. Lo haría, leería la carta, la leería en ese momento...

«Demasiado tarde, mañana será demasiado tarde...»

Sarah dejó caer la carta. De pronto la voz en su cabeza dejó de ser un susurro apagado y adquirió un tono distinto. Sonaba como...

«De nuevo demasiado tarde...»

... como si fuera la de su padre. Sarah tenía la impresión de oír su voz...

«¿Cómo? Entonces, ¿te acuerdas?»

Sarah miró fijamente la misiva que tenía ante sí, rompió en sollozos y cerró luego los ojos. Pero la voz seguía inexorable...

«Cuando al fin llegaste...»

... Sarah gritó y se tapó los oídos...

«... ya estaba muerto.»

Se echó a llorar.

Capítulo 17

Sarah estaba tumbada boca abajo, con la cara oprimiendo la almohada, y escuchaba asustada su interior. La voz se había extinguido, por fin callaba. Poco a poco su cuerpo contraído se relajó y se incorporó confusa. La última canción del CD había acabado y de pronto reinaba un extraño silencio en la habitación. Un silencio sepulcral. El pánico había desaparecido, pero la nerviosa inquietud permanecía. Sentía como si se le acabase el tiempo. Se levantó y se acercó a la ventana. Fuera había oscurecido. ¿Dónde estaría Dustin en ese momento? ¿Pensaría él también en ella y estaría esperando con impaciencia la noche siguiente? «Mañana... ¿Por qué de hecho esperar hasta mañana?» se preguntaba Sarah. «¿Por qué no esta noche?» Y de pronto una idea terrible le cruzó por la mente: en el caso de que May hubiera leído la carta, al menos las líneas importantes, seguro que ella no esperaría más. Se lo había dicho a Sarah de forma inequívoca. Actuaría inmediatamente e iniciaría la búsqueda de Dustin. Era muy probable que también ella conociera su paradero desde hacía tiempo y estuviera en ese mismo instante llevando a cabo su plan.

«Sé lo que hago, y no me lo impedirás.» Esas habían sido las últimas palabras de May. Y esa frase era una declaración, no una vaga afirmación. Sarah salió a toda prisa de su habitación y corrió alarmada escaleras abajo. Su corazón latía de nuevo disparado, no había tenido mucho tiempo para descansar. Pero Sarah no podía esperar más, tenía que encontrar a Dustin ese mismo día y prevenirle contra la ira de May y su terrible plan de venganza.

«Demasiado tarde, mañana será demasiado tarde...»

Podía tomar quizá la senda que arrancaba desde la antigua cantera tal como Dustin mencionaba en su carta. Tenía que intentarlo al menos, no podía seguir dudando mucho más tiempo.

Se calzó las deportivas y el abrigo a toda prisa. Se detuvo un momento frente a la puerta principal. No podía negarse que ir completamente sola a la oscura y abandonada cantera era un plan bastante temerario. Volvió otra vez a la cocina para sacar la linterna del cajón. Junto a ella vio además un cuchillo de mesa y se lo llevó también. De pronto volvió a acordarse de Jonathan. Llegaría dentro de una hora. Sarah puso los ojos en blanco, irritada, y tomó el teléfono móvil. Pero una vez marcado el número, cambió de idea y colgó. Lo último que ahora le apetecía era oír los vanos intentos que sin duda haría Jonathan para convencerla, así que solo le escribió un escueto SMS:

«Tengo que salir por una urgencia, así que no podré acudir a la cita. Nos vemos mañana. Un beso, Sarah».

Pulsó «Enviar». Unos segundos después el timbre la alertó de una llamada. Era Jonathan. Se limitó a silenciar el teléfono y se dirigió hacia su vehículo.

Fuera hacía frío y estaba oscuro, en el cielo nocturno solo brillaban un par de estrellas aisladas. Las contempló durante unos minutos.

—Sois mis única guía —susurró—. ¡Por favor!, ayudadme a encontrar a Dustin.

Dustin había vuelto a caer en un sueño ligero, lo cual permitía a su cuerpo recuperarse un poco del agotamiento y olvidar durante esos cortos períodos el hambre que lo atormentaba y que pronto sería su única compañera, a la que ya no podría engañar.

Algo duro le impactó en la cabeza, despertándolo alarmado de su duermevela.

—¿Qué... quién...? —Se puso en pie y miró intensamente hacia la oscuridad reinante por encima de la abertura. Su vista perdía agudeza a pasos agigantados y sus ojos apenas distinguían ya nada en la oscuridad. Solo veía lo justo para distinguir contra la negrura del cielo el contorno difuso de una silueta que permanecía erguida al borde de la fosa y le miraba.

—¿A qué has venido? —dijo Dustin entre dientes—. ¿Es que quieres avanzarme otro par de pistas sobre tus planes diabólicos o disfrutar un rato viendo cuánto me he deteriorado?

—Mañana... Mañana por la noche todo habrá acabado —SU voz llegó apagada a los oídos de Dustin.

—¿Qué? ¿A qué te refieres? ¡No te vayas! ¡Dime qué vas a hacer! ¿Qué pasará mañana por la noche?

La figura se quedó quieta durante unos instantes más y a continuación desapareció de forma tan repentina como si se hubiera desintegrado en el aire. Ya no se oía ni veía nada más.

—¡Espera —gritó Dustin—, por favor, espera! ¡Al menos escúchame! Puedes contemplar cómo me transformo en una criatura miserable, puedes escupirme, burlarte de mí y tirarme piedras.... ¡pero deja a Sarah al margen! ¡Por favor, déjala a ella en paz...! —Dustin sabía que sus súplicas no tenían ningún sentido, que como mucho reforzarían los planes de ELLA. Sus gritos se perdieron en la noche, sin dejarle la esperanza siquiera de recibir una respuesta.

Cayó al suelo al límite de sus fuerzas. La energía que había consumido con sus gritos le faltaba ahora. Pero ya daba igual. «Mañana», había dicho, «mañana se habrá acabado todo». Tenía mucha práctica, sabía de lo que hablaba. En pocas horas Dustin se transformaría para siempre. Y a Sarah también le esperaba un horrible destino. Un destino que él en ese momento desconocía, pero sin duda ELLA se encargaría de comunicarle. Quizás incluso le obligaría a verlo con sus propios ojos. Sabía que esa sería la peor tortura para él.

Sin aliento, contempló el cielo nocturno. Entre las copas de los árboles brillaban dos estrellas como pequeñas guías en la oscuridad. «Qué bonitas son», pensó Dustin, «tan vivas, proporcionan tanto consuelo». Sus ojos se aferraban a ellas, querían capturar su imagen.

«Quizá seáis el último tesoro que me pueda llevar de este mundo a mi eterna oscuridad.»

Las estrellas parpadeaban como dos ojos amigos. Unos ojos que se hallaban a una inalcanzable lejanía y cuya magia, sin embargo, lograba enviarle en ese momento de desesperación un mensaje de consuelo...

«Como aquella vez en el salón de actos», pensó de pronto Dustin, «como los delicados ojos de Sarah». También ellos le habían brindado apoyo cuando se sentía tan solo y perdido.

—Sarah —susurró—, tú y yo estábamos unidos desde el primer momento, ¿te acuerdas? Tú me llamaste con la voz de tu corazón y yo la oí aunque una enorme distancia nos separaba el uno del otro. Me obligó a encontrarte entre todos los demás, a mirarte. Nunca olvidaré ese momento, nunca.

Dustin cerró los ojos y se entregó a su recuerdo de aquel momento, hasta que le pareció oír los latidos del corazón de Sarah en algún lugar lejano.

El bosque aparecía ante ella oscuro y lúgubre. Sarah había llegado hasta donde su vehículo le permitió, porque el área en torno a la antigua cantera fue cerrada siglos atrás con vallas de acero altas y macizas. Ni los paseantes podían aventurarse a entrar en la zona y seguro que la mayoría obedecían la prohibición. En esa parte del bosque la maleza era mucho más espesa y salvaje que en la zona vecina. Apenas había caminos señalizados, ni siquiera senderos que estuvieran un poco desbrozados. En otras circunstancias, a ella nunca se le hubiera ocurrido ir allí sola.

Tiritando de frío, encendió su pequeña linterna y la enfocó hacia la cantera. Allí, en el vasto e irregular terreno, su luz se tornaba tan débil que prácticamente se perdía. Sarah descubrió una rendija un poco más amplia en la valla y pasó por ella. La carta decía que un rastro inconfundible le llevaría hasta Dustin. Pero como se había adelantado, quizá no hallara aún ningún indicio. Fue girando lentamente sobre su pies. Al hacerlo, su linterna trazó una ridícula circunferencia. ¿Por dónde iba a empezar a buscar a Dustin?

Sarah se estremeció. Se sentía sola y desamparada en medio de ese entorno desconocido y sin vida, que le recordaba un paisaje volcánico. El suelo pedregoso crujió bajo sus pasos cuando empezó a caminar con rodillas temblorosas hacia el margen del bosque. Dustin necesitaba alimento. Seguro que no se quedaría junto a la cantera sino en la maleza, donde pudiera cazar.

Se paraba una y otra vez para mirar a su alrededor con inquietud. El murmullo de la gravilla le recordaba el susurro de voces apagadas. Angustiada, siguió avanzando con lentitud. Pero ahí... Sarah se detuvo con brusquedad y apagó su linterna. Allí detectaba otro ruido, más fuerte y pesado.

Contuvo la respiración, escuchó con la máxima atención en un intento por distinguir algo más que los latidos de su corazón.

Se acercaban pasos a gran velocidad. Parecían venir del bosque directamente hacia ella. «Dustin», fue lo primero que pensó, y ya estaba a punto de salir a su encuentro cuando su sexto sentido la retuvo. Era una voz interior, que esta vez no sonaba amenazadora ni la atemorizaba como antes, sino que su tono era de advertencia, casi de súplica. «¡Detente, no sigas!», parecía decirle. Sarah obedeció. Se quedó inmóvil, escuchando en la oscuridad. Apenas se atrevía a respirar. Supo que alguien entraba en el terreno de la cantera por los sonoros crujidos de la grava. Sarah no podía ver dónde estaba exactamente el desconocido, pero notaba que ya no se hallaba muy lejos. El extraño debía de haberse parado repentinamente. Ya no se oía nada. ¿Sospecharía también que no estaba solo? ¿Presentiría su cercanía? ¿La vería incluso?

El corazón le latía con fuerza a causa del miedo. Tenía la impresión de que sus latidos resonaban por todas partes. Realmente parecía que su corazón estuviese pidiendo auxilio. «Por favor, no me delates», rogó en silencio, «por favor, no me delates...».

Los segundos iban pasando. Sarah sabía que, de seguir así, sus piernas cederían en cualquier momento y se derrumbaría sin más. El terror le iba arrebatando toda la fuerza.

Y entonces, de pronto, los pasos recomenzaron. Se alejaban rápidamente. Un chirrido, después pareció que una puerta de hierro se cerraba. Silencio. Quien fuera debía de haber abandonado el lugar saliendo por la otra parte. Sarah respiró aliviada. Le llegó una ráfaga de perfume dulzón y su estómago se le contrajo.

Estaba claro que no era Dustin, sino alguien que también lo buscaba, que sospechaba su presencia allí. May... May había estado allí. Por lo tanto, sí que había leído la carta, no había duda alguna.

Permaneció inmóvil aún un par de minutos antes de atreverse a continuar caminando con lentitud, hacia el bosque. Ocultó la linterna encendida bajo su abrigo para así atenuar más su luz a través de la tela.

Cuando se internó en la maleza, las ramas se le enredaron en el pelo y el abrigo se le enganchó en un arbusto espinoso. Algo se deslizó sobre sus zapatos y Sarah se llevó un susto de muerte. Cuando tan solo llevaba unos metros se dio cuenta de que su plan carecía de sentido. No tenía ni idea de en qué dirección debía ir, no se había fijado ninguna meta real ni ningún punto de referencia. Se perdería, quizás incluso tropezaría y se haría daño. Así no podía ayudar a Dustin. Fracasaría, no coseguiría alertarle de la furia de May, y menos aún salvarle... en el caso de que May no le hubiera hecho algo ya. Desesperada, se quedó mirando al suelo. Estaba al límite de sus fuerzas y sus nervios al máximo de tensión. Probablemente todo estaba perdido de todos modos. Una vez más, llegaría demasiado tarde. Como aquella vez... como siempre...

Sarah cerró los ojos.

—Dustin, te siento tan lejos —susurró—, aunque sé que tienes que estar cerca de mí. ¿Por qué no me haces ninguna señal? ¿O es que he pasado algo por alto? ¿Es que hay de verdad un rastro que me lleve a ti y no he sabido leerlo? Por favor, por favor, no te desanimes. Te ayudaré, te... —dijo entre lágrimas. Lágrimas de miedo, de ira y desesperación.

En torno a Sarah reinaba el silencio. Solo su corazón seguía latiendo con fuerza y urgencia, la mantenía despierta, viva, le mostraba que estaba con ella, allí, en medio de aquella oscuridad.

Bumm-bumm, bumm-bumm, bumm-bumm...

Sarah escuchaba su interior, el ritmo de su corazón... y con cada latido se iba calmando.

Bumm-bumm, bumm-bumm, bumm-bumm...

Recordó aquel increíble momento en el salón de actos, cuando le había invadido la sensación de que su corazón se había separado de ella y buscado un camino propio, un nuevo centro desde el que latir y mantenerla con vida. A ella... y a él. Aunque nunca había visto a Dustin antes, su corazón había sabido desde el principio que él la necesitaba. No había dudado y no se había dejado detener. Le había dejado claro a Sarah con cada latido que algo les unía, a Dustin y a ella. Algo que no se podía obviar o separar sin más. Sin ayuda había averiguado y entendido el secreto de Dustin, sin necesidad de palabras ni explicaciones. Sarah se levantó con los ojos cerrados.

—Dustin —susurró—, Dustin, ¿te acuerdas del día que nos vimos por primera vez? Lograste que mi corazón te hablase, que latiese para ti, que se aferrase a ti. Por favor, llámalo también ahora, llévalo hacia ti, condúcenos a mí y a mi corazón hasta ti.

Sarah notó cómo su corazón se apaciguaba a medida que pronunciaba esas palabras, pero al mismo tiempo su latido era más firme, más decidido. Parecía saber exactamente lo que quería y a dónde iba.... como aquella mañana inolvidable en el salón de actos.

Sarah se relajó y se abandonó por completo a la guía de su corazón.

Bumm-bumm, bumm-bumm, bumm-bumm...

Paso a paso, latido a latido, avanzaba a tientas con los ojos cerrados. La linterna seguía en el bolsillo de su abrigo. Ya no la necesitaba...

Bumm-bumm, bumm-bumm, bumm-bumm...

Es suave, muy suave y apagado, como desde la lejanía, pero aun así audible... audible para mí. Conozco esa música, conozco los sonidos. El corazón de Sarah sigue latiendo, constante y con fuerza. Siento alivio, aún no le ha pasado nada.

Bumm-bumm, bumm-bumm, bumm-bumm...

Sarah está viva, está viva, está viva, la voz de su corazón parece querer gritarme con cada latido. Me gustaría contestar, me gustaría decir que lo he entendido, que me alegra este mensaje, pero no sé cómo, mi pecho está mudo.

De pronto parece como si la voz hubiera cambiado de rumbo. Su sonido es cada vez más claro, me llama ahora sin cesar, grita mi nombre...

—Dustin, Dustin, Dustin...

—Aquí, Sarah, aquí... —No sé si me puede oír. Yo ya no tengo un corazón que lata.

La voz mantiene el rumbo, se acerca, se acerca más, latido a latido...

—¿Dónde, Dustin, dónde estás?

—Aquí, Sarah, aquí estoy...

—Te oigo, Dustin...

—Ya estás muy cerca...

—Aguanta, ya casi estoy contigo...

—Sarah...

—Dustin... Dustin... Dustin...

—Dustin, ¿me oyes? Dustin, mírame, mírame, por favor, estoy aquí...

Dustin abrió los ojos, pero apenas logró dirigir la mirada hacia la dirección por la que creía oír la voz de Sarah. Su dulce y reconfortante voz. «Qué bonita ilusión», pensó cuando la vio sobre él rodeada de un halo de luz: sus ojos, su boca, su cabello.

—Dustin, ¿qué te pasa? ¿Estás herido? —La voz de Sarah parecía real, auténtica, preocupada y agitada. Dustin sintió como si un rayo atravesase su debilitado cuerpo.

—Sarah, Sarah. ¿Eres real? ¿No es un sueño? ¿Estás aquí, estás aquí de verdad? —Dustin se incorporó con esfuerzo—. Me has encontrado.

—Sí, estoy aquí, Dustin, contigo. ¡Estaba tan preocupada por ti! Pero ¿qué ha pasado? ¿Ha sido May quien te ha encerrado en este lugar?

Dustin trató de incorporarse. Cada movimiento le costaba Dios y ayuda, incluso hablar le suponía un gran esfuerzo.

—Yo... no. ¿May, por qué May? ELLA es la que me ha tendido esta trampa. Y sabe quién eres, Sarah, sabe lo nuestro, está al corriente de todo. Es culpa mía, lo siento de veras. Interceptó mi carta antes de que la recibieras. Quería hacerte llegar un mensaje.

—Pero, Dustin...

—¿Qué? ¿Pero cómo?

—Tienes que salir de aquí —le interrumpió Sarah—. Tenemos que darnos prisa, seguro que May vuelve.

Se tendió boca abajo y se deslizó hasta el borde de la fosa, después estiró las manos hacia Dustin.

—Trata de levantarte. Te ayudaré.

—Sarah, así no funcionará. Estoy demasiado débil y, además, herido. Te caerás tú también.

—¡Por favor, Dustin, tienes que intentarlo!

Dustin sabía que no tenía sentido, pero le agarró las manos, apretó los dientes y trató de no hacer caso del dolor en la pierna. Logró trepar apenas un par de centímetros por la pared lisa y lodosa, hasta que sus dedos se soltaron de los de ella y volvió a resbalar.

—Sarah, me hace feliz volver a verte una vez más... sana y salva, viva, pero... Tienes que irte de aquí ahora mismo, muy lejos, ¿me entiendes? Al menos por un tiempo. Por favor, déjame aquí y no seas testigo de lo que me ocurra. Ya no puedes ayudarme. —Dustin notaba cómo todo su interior se hundía, cómo la poca energía que le quedaba abandonaba su cuerpo—. Es demasiado tarde para mí, Sarah, demasiado tarde.

«Demasiado tarde, de nuevo demasiado tarde...»

Sarah se apretó la frente con las manos.

—¡No y no!, no es demasiado tarde, ¿me oyes? No he llegado demasiado tarde, Dustin, esta vez no. —El pánico se apoderó de ella—. ¡Mírame, estoy aquí, he venido, sabía que tenía que darme prisa, y no voy a renunciar a ti ahora, Dustin!

Sarah buscó a toda prisa una piedra grande y angulosa y se la tiró a Dustin.

—Prueba con ella, Dustin —le gritó—, quizá con la piedra puedas raspar la pared. Así no resbalarás tan fácilmente... y aquí, espera, aquí tengo un cuchillo, con él puedes...

Dustin la miraba aturdido, como si ya ni siquiera oyera sus palabras. No le quedaban fuerzas y se desmayó ante sus ojos.

—¡Dustin! —El grito desesperado de Sarah se perdió en el fondo de la fosa. La débil luz de su linterna iluminó el cuerpo encorvado e inmóvil de Dustin. De pronto las palabras llenas de odio de May volvieron a sonar en su cabeza, fuertes y claras:

«Lo encerraré, lo mataré de hambre y le haré incapaz de volver a hacerle daño a un ser vivo. Se transformará en una horrible y miserable criatura que vegetará durante toda la eternidad, hambriento de sangre, sin fuerza ni esperanza...»

Después, todo ocurrió muy rápidamente. Sin saber muy bien lo que iba a hacer, Sarah volvió a tenderse en el suelo deslizándose hasta el borde de la fosa, tiró su linterna abajo y saltó. Cayó medio encima de Dustin, pero ni siquiera la sacudida consiguió que el muchacho recuperara la conciencia.

—Dustin, ¡vuelve!, ¡quédate!, ¡quédate conmigo! —clamó—. Aún no estás perdido. Vas a vivir, ¿me oyes? En algún momento volverás a vivir —Sarah se inclinó sobre él, lo besó, lo abrazó, quería transmitir un poco de calor a su cuerpo frío e inerte—. Estoy contigo, no permitiré que te pase nada. Haré lo que sea por ti, todo lo que haga falta.

Súbitamente se detuvo. Se le aparecieron imágenes como destellos; un cuchillo, Anna, sangre, Dustin en el brazo de Anna, chupando, absorbiendo con mirada extasiada...

Sarah miró a Dustin y su corazón latió en su pecho, fuerte y vigoroso, con resolución.

Con dedos trémulos sacó el cuchillo del bolsillo del abrigo. Vaciló un instante, antes de cerrar los ojos y hacerse un corte en la mano. Se estremeció por el breve y punzante dolor. El cuchillo se le cayó al suelo. Sarah levantó con cuidado la cabeza de Dustin y la apoyó con delicadeza en su regazo. Tenía los labios pálidos y ligeramente abiertos. Lentamente, Sarah llevó su mano sangrante hacia la boca del muchacho. En un primer momento no hubo reacción, pero después, tímidamente, los labios de Dustin se empezaron a llenar de vida. Cuando rozaron su piel y la lengua salió, Sarah sintió un leve cosquilleo en la mano.

—Mi corazón me ha llevado a ti porque tú lo has llamado. Lo necesitas y mi sangre te traerá de vuelta —le susurró Sarah al oído y, con los ojos cerrados, respiró su aroma a bosque y tierra—. Bebe, Dustin, bebe, confío en ti.

Los labios de Dustin se movieron entonces con más energía, más exigentes, buscaban apoyo, chupaban de la mano de Sarah con firmeza, hambrientos, sedientos, ansiosos de más...

Sarah se sobresaltó, se asustó por la presión que de pronto ejercían los labios de Dustin, pero no apartó la mano. No podía, no quería hacerlo. Dustin bebió, bebió la sangre de Sarah, la vida de Sarah. Ella entornó los ojos, observando la escena que se desarrollaba ante ella, como si no formara parte, como una espectadora sorprendida, horrorizada, conmovida. Estaba fascinada por esa imagen irreal y con cada sorbo un escalofrío le recorría el cuerpo.

Los párpados de Dustin se movieron, su cuerpo tembló, se movió y salió al fin de su rigidez inerte. Levantó el brazo, agarró la mano de Sarah, su fuente, la unión con su cuerpo, sin separar de ella los labios. Sarah sintió cómo su corazón se asustaba, cómo latía con menos decisión, más perplejo, más atemorizado...

—¿Dustin? —Tenía un hilo de voz, en sus propios oídos sonaba irreal y lejana—. ¿Dustin? —repitió en voz un poco más alta.

Pero a él no le llegaba, parecía estar en otro mundo. No oía a Sarah, tenía los labios pegados a ella y le sujetaba con fuerza la mano, como una mordaza. Sarah sintió crecer el frío en su interior y cerró los ojos.

—Confío en ti, Dustin, confío en ti —susurraba sin cesar, mientras notaba cómo con cada succión de Dustin el calor iba abandonando su cuerpo.

—Confío en ti... —De los ojos de Sarah brotaron lágrimas. Sintió miedo dentro de ella, un miedo terrible, un miedo cada vez mayor.

No puede haber miedo entre dos amantes, tener miedo significa dudar del amor y dudar significa fracasar sin remedio.

—Confío en ti, Dustin, confío en ti, ¿me oyes? —susurró débilmente Sarah contra la desesperada voz de su interior. Pero su pregunta ya no era una declaración, sino tan solo un suave ruego de esperanza.

Capítulo 15

Dustin se detuvo. Algo lo había despertado de su maravilloso sueño. Un sueño de vida y de sangre, de corazones latiendo y de calor. Había sido una voz, un suave ruego.

—¿Qué ha pasado?

Dustin se incorporó. Se sentía menos débil, notó que su cuerpo volvía a obedecerle, ya no lo dejaba en la estacada, como si su sueño se hubiera vuelto realidad. También sus sentidos, aunque aún bajo una niebla impenetrable, iban recuperando de manera progresiva su agudeza. Y lentamente, poco a poco, le revelaron lo que había pasado, le hicieron comprender con sutileza, pero sin indulgencia y de forma inequívoca.

—Sarah... ¿Pero qué has hecho?

Yacía en sus brazos, su cuerpo ligero y frágil, la cabeza inclinada hacia atrás. Su mano colgaba fláccida. ¡Estaba sangrando!

—Dustin, has vuelto... —dijo, dirigiendo hacia él una débil sonrisa.

—Sarah, ¿pero por qué? ¿Por qué lo has permitido? ¿Cuánto tiempo he...? ¿Cuánta...?

—Confío en ti, Dustin, confío en ti... —dijo Sarah, a quien no le quedaba más que un hilo de voz.

—Sarah, yo...

De pronto Dustin notó cómo algo se movía en su pecho, cómo su cuerpo se llenaba de vida y de calor. Sabía lo que pasaría...

Bumm-bumm, bumm-bumm, bumm-bumm...

Su corazón de despertó súbitamente, como si nunca hubiera estado dormido. «La voz de Sarah», pensó Dustin y cerró los ojos. «Su voz interior, que ya me llamó el primer día, que ha venido a mi encuentro, que ha guiado a Sarah hasta aquí... Ahora me ha alcanzado de verdad, me ha penetrado, está en mí.»

Sarah miró a Dustin, que se había postrado ante ella de rodillas y la sostenía entre sus brazos. Tenía los ojos cerrados, parecía sumido en sí mismo. De pronto notó algo, primero suave y vago, después cada vez más claro.

Bumm-bumm, bumm-bumm, bumm-bumm...

—Mi corazón —susurró y apretó la oreja contra el pecho de Dustin—. Corazón mío, ahora ya has conseguido lo que querías desde el principio. Te has buscado tu propio camino, has decidido dar este paso —decía, al tiempo que escuchaba el ritmo de su propio corazón, que venía del lugar donde reposaba su oreja. Resultaba extraño y raro y aun así de pronto el miedo se había desvanecido. Oír esa voz tan familiar en el pecho de Dustin la mecía, la calmaba, la acariciaba...

Dustin abrió los ojos y miró a Sarah.

—Sarah, ¿cuánta ha sido, dímelo, cuánta sangre me has dado?

Sarah sonrió.

—No lo sé. Confié en ti, siempre, todo el tiempo. —Deseaba que también él le sonriera, pero su cara seguía seria.

—Sarah, fue demasiada, ¿no es cierto? No me has detenido, no podías. Pero ¿por qué? Me odiarás, despertarás en la eternidad.

—No te odiaré, Dustin, pase lo que pase. Mi corazón... mi corazón late en ti... por voluntad propia. Es bonito, tan bonito. Es como si estuviera dentro de ti, como si fuéramos uno, aunque solo sea durante este instante.

—Sarah, pero ¿y tú? ¿Qué pasa con tu corazón?

Mientras Sarah se esforzaba por permanecer despierta, sentía la cálida mano de Dustin sobre su pecho... temblando, palpando, buscando. No estaba segura de si su corazón latía debajo. El frío dentro de su cuerpo le impedía percibir cualquier otra sensación. De pronto se vio a sí misma en su mente, cómo había tocado el pecho de Dustin antes de que desapareciera en la oscuridad, tras la muerte de Anna y las acusaciones de May.

«Por mis venas no fluye ya vida humana», había dicho en voz baja. «Y mi corazón ya no late.»

No lo había podido creer, no había querido. Pero era cierto. El corazón de Dustin permanecía mudo bajo la mano de Sarah.

—Sarah, no te duermas, quédate, no te duermas, no te vayas hacia la eternidad, por favor... —Sarah ya solo oía el susurro desesperado de Dustin como desde muy muy lejos.

Apenas podía mantener los ojos abiertos. Lo último que vio fue la figura que apareció en lo alto de la fosa como una larga e inquietante sombra. Esta breve visión le produjo una fría punzada en el lugar donde, de hecho, latía su corazón. Se trataba de un rostro oscuro, oculto tras una capucha, que les miraba desde la altura. La débil luz de la linterna había iluminado durante una fracción de segundo un mechón rubio. «May», pensó Sarah aterrada y su respiración se aceleró, «May ha vuelto». Apretó la mano de Dustin, quería advertirle mediante ese gesto, pero él no parecía entender.

—Sarah, ¿qué ocurre? No te duermas, por favor...

Sarah quería decir algo, pero no lo lograba, aunque al acordarse de la noche en que murió Anna, la comprensión se abrió camino como un rayo de luz en su cansancio. Todo el tiempo Sarah había esperado encontrar pruebas, indicios que exculparan a Dustin, que ella pudiera mostrarle a May, que le demostrasen que Dustin no era un asesino sin escrúpulos, perdido por completo y olvidado de sí mismo. Había tenido la verdad ante ella unos días antes. Dustin no había bebido la sangre de Anna como May afirmaba. Su corazón inerte era la prueba muda de que Dustin era inocente, porque esa noche había callado.

«May, no le hagas daño, por favor, por favor no le hagas daño», rogó Sarah en silencio con los ojos cerrados a la oscura y vengativa figura que les observaba desde lo alto. «Dustin no mató a Anna, no es como tú crees. Ahora estoy segura, tienes que...»

Sarah tuvo tiempo de ver cómo la figura se arrodillaba y sacaba rápidamente un brazo. En ese momento Dustin alzó la mirada y sus ojos se abrieron desorbitados.

Después de eso la mente de Sarah no logró estructurar ningún otro pensamiento. Se dispersó y evaporó y Sarah se deslizó hacia una nada neblinosa, acompañada por el familiar latido de su propio corazón en el pecho de Dustin...

Bumm-bumm, bumm-bumm, bumm-bumm...

... Sin saber....

Bumm-bumm, bumm-bumm...

... si esa voz...

Bumm-bumm...

... volvería alguna vez a sonar dentro de ella.